...en

Für Joline und Talisa

BOOKS on DEMAND

Maria Durand

Im Norden Englands geboren und aufgewachsen in Berlin, wo sie heute noch lebt. Pferde spielten in ihrem Leben schon von klein auf eine große Rolle. Zusammen mit den eigenen Pferden und ihren beiden Töchtern, die inzwischen schon erwachsen sind, erfuhr sie ein „Pferdeleben" mit allen Höhen und Tiefen.

In einer großen Schatzkiste hütet sie bis heute spannende Geschichten, die das Leben selbst geschrieben hat.

Maria Durand

Zitrönchen

Ein gutes Pferd hat keine Farbe

Bibliografische Information der Deutschen Nationalbibliothek:
Die Deutsche Nationalbibliothek verzeichnet diese Publikation in
der Deutschen Nationalbibliografie; detaillierte bibliografische
Daten sind im Internet über http://dnb.dnb.de abrufbar.

Herstellung und Verlag:
BoD – Books on Demand, Norderstedt

ISBN: 978-3-7392-0075-0

Inhalt

Ein gutes Pferd hat keine Farbe

Sommerferien in Handschuhen und Stiefeln

Noch 3, 2, …1 Sekunde! Endlich war es soweit! Endlich Sommerferien! Die Schulglocke ertönte und Jo sprang von ihrem Stuhl und rannte aus dem Klassenzimmer. Auf der Treppe nahm sie gleich zwei Stufen auf einmal. Sie sauste an Herrn Möller, ihrem Englischlehrer, vorbei, der ihr noch „Happy holidays!" hinterher rief. Sie hob kurz die Hand, was ihm zeigen sollte, dass sie es verstanden hatte, aber antworten wollte sie nicht mehr. Dafür blieb keine Zeit.

Vor der Tür wartete schon Mücke, Jos kleine Schwester.

„Beeil dich!", wies Jo sie an.

„Sag mal! Ich warte hier seit einer Stunde auf dich! Du musst dich beeilen!", entgegnete Mücke.

„Ich bin gerannt! Also beeil du dich jetzt!"

Jo hatte fast immer das letzte Wort. Das haben große Schwestern so an sich, aber Mücke hatte sich schon ein ziemlich dickes Fell zugelegt und so spazierte sie in aller Ruhe Jo hinterher.

„Oma kommt erst um zwei! Jetzt ist es elf!", rief Mücke.

„Wir müssen uns noch umziehen!", antwortete Jo ohne sich umzudrehen.

„Brauchst du drei Stunden um deine Reithose anzuziehen?", fragte Mücke entgeistert.

Jetzt drehte Jo sich um: „Nein, ich muss mir auch noch einen Zopf machen!", dabei versuchte sie ihre Lockenmähne unter Kontrolle zu bringen, denn obwohl es Sommer war, pfiff ein anständiger Wind.

„Achso! Na dann husch husch!", antwortete Mücke und verdrehte die Augen.

„Du trödelst mit Absicht!", sagte Jo und blieb kurz stehen.

„Mach ich gar nicht!", erwiderte Mücke trotzig und verzog dabei das Gesicht, wie kleine Schwestern gegenüber ihren großen Schwestern immer das Gesicht verziehen. Als Mücke Jo erreicht hatte, griff Jo sie am Arm und zog sie hinter sich her.

„Dann lauf wenigstens einen Schritt schneller!", flehte Jo.

Mücke befreite sich und lief dann tatsächlich einen Schritt schneller, einen klitzekleinen.

Auf dem Weg nach Hause liefen die beiden an den Pferdewiesen entlang, die zu einem kleinen Reiterhof gehörten. Die Pferde grasten friedlich in der Sonne. Ein Pferd stand jedoch etwas abseits von den anderen. Das hatte Jo auch in den letzten Tagen schon ein paar Mal gesehen.

„Guck mal", sagte Jo, „das Pferd steht nicht bei den anderen!" und zeigte auf die andere Seite der Wiese.

Mücke stellte sich auf die Zehenspitzen um mehr sehen zu können und antwortete: „Vielleicht mag es die anderen nicht!"

Jo blieb stehen. „Oder die anderen mögen ihn nicht."

„Woher weißt du, dass es ein „Er" ist?", fragte Mücke, doch Jo zuckte nur mit den Schultern.

„Vielleicht will er auch nur mal seine Ruhe haben!", fuhr Mücke fort, „Komm jetzt, wir werden die nachher alle kennenlernen!"

Jo schaute immer noch in die Richtung des Pferdes. Das Fell glänzte wie Gold in der Sonne und die helle lange Mähne wehte sanft im Wind.

„Er sieht sehr schön aus!", bemerkte sie leise und obwohl das Pferd auf der anderen Seite der Wiese stand, hob es den Kopf und blickte zu den beiden herüber, als hätte es gehört, was die beiden sprachen. Jo hob kurz ihre Hand, als ob sie ihm winken wollte und das Pferd blähte die Nüstern auf und warf einmal den Kopf nach oben, was für Jo ein hundertprozentiger Pferdewinker war.

„Er hat gewunken!", rief Jo begeistert.

„Mmm, ja klar, mit vorne rechts oder vorne links?", lachte Mücke. „Komm jetzt! Jetzt trödelst du aber mit Absicht!", und nun war sie es, die ihre große Schwester hinter sich herzog.

Als sie am Eingangstor des Reiterhofes vorbeiliefen, kam ihnen ein Mann in Reithose und Reitstiefeln entgegen, der ihnen freundlich zuzwinkerte.

„Buenos dias die Damen!", rief er ihnen entgegen.

„Guten Tag!", erwiderte Mücke. „Wir kommen nachher auch! Zum Reiten!", sagte sie stolz.

„Ach ja?", der Mann blieb stehen. „Dann kommt ihr zu mir nachher? Seid ihr die Enkelinnen von Frau Dumont?"

Jo und Mücke nickten. Jo bemerkte, dass der Mann das „r" ungewöhnlich rollte und sein „s" zischte scharf. Sie entdeckte auch den ungewöhnlich gedrehten Schnurrbart, der sie zum Grinsen brachte und er hatte O-Beine, die bestimmt vom Reiten kamen.

„Wir haben heute eine Probestunde!", erklärte Jo.

„Das ist großartig! Ich bin nämlich euer Reitlehrer. Ich bin Joseba Alvarez-Sanchez, aber alle nennen mich Seba! Das dürft ihr natürlich auch!", und streckte Jo und Mücke die Hand entgegen.

Die beiden drückten nacheinander Sebas Hand und Mücke wiederholte „Zsssebba!"

„Genau, das hast du perfekt ausgesprochen! Mit spanischem Akzent! So ist es richtig!" Seba freute sich darüber sehr. „Und wer seid ihr?"

„Ich bin Jo und das ist Mücke!" Jo übernahm, wie große Schwestern es immer tun, die Gesprächsführung.

„Mücke?", fragte Seba verwundert, „Das ist ja ein witziger Name!"

Mücke holte Luft, doch Jo antwortete schneller: „Sie hat, als sie vier war, eine Mücke verschluckt. Seitdem nennen sie alle so! Eigentlich heißt sie Marie!"

Mücke verzog das Gesicht und stupste Jo ihren Ellenbogen in die Rippen.

„Musst du das jedem erzählen?", brummelte sie und wandte sich an Seba: „Sie heißt auch nicht nur Jo, sondern Johanna, aber das darf keiner sagen, sonst wird sie suuuuper zickig!"

Jetzt drückte Jo ihren Ellenbogen in Mückes Rippen.

Seba lachte: „Okay, okay. Mücke und Jo! Ich verstehe! Und ihr seid wie alt?"

Diesmal antwortete Mücke schneller als Jo: „Ich bin fast elf!" und Jo fügte hinzu: „Ich bin fast dreizehn!"

Seba lachte jetzt noch mehr: „Wunderbar! Jo und Mücke, fast elf und fast dreizehn!"

Er streckte den beiden erneut die Hand entgegen und verneigte sich leicht: „Die Damen, es war mir eine große Freude Ihre Bekanntschaft machen zu dürfen! Wir sehen uns dann später!"

Obwohl Jo am liebsten noch hundert Fragen gestellt hätte, machten sie sich auf den Weg nach Hause.

Zu Hause angekommen, standen zwei kleine Geschenke auf dem Tisch, die in rotes Papier eingewickelt waren. Daneben lag ein Zettel von Mama, auf dem stand: „Hey ihr Mäuse, wie sind die Zeugnisse? Das Geschenk ist für ein hoffentlich tolles Zeugnis und ihr müsst es unbedingt bevor ihr losgeht öffnen! Wir sehen uns später, ich beeile mich! Eine Million Kussis, Mama"

Jo hatte noch nicht zu Ende vorgelesen, da hatte Mücke das Papier schon zerrissen und schrie laut: „Reithandschuhe!!!"

Nun riss auch Jo das Papier ihres Geschenks herunter und es waren auch Reithandschuhe.

„Perfekt!", jubelte sie. „Nun haben wir alles, was ein Reiter braucht!"

Sie liefen in ihre Zimmer und zogen sich die schon seit Tagen bereitgelegten Reithosen an. Vor dem Spiegel posierten beide dann abwechselnd in voller Montur, mit Reitkappe und Reitstiefeln und natürlich auch mit den neuen Reithandschuhen.

„Also, wenn ich was zu sagen hätte, würde ich bestimmen, dass alle auf der Welt nur Reithosen und Reitstiefel tragen!", sagte Jo.

Mücke lachte und antwortete: „Wie gut, dass du das nicht bestimmst. Den ganzen Tag in Gummistiefeln, pfuuuui, wie sehr würde das abends nach Käsefüßen stinken!"

Nun lachten beide.

„Weißt du noch, auf welcher Seite du aufsteigst?", fragte Jo ihre kleine Schwester.

Mücke verdrehte die Augen. „Natürlich, du hast es mir bestimmt siebenundzwanzig Mal erzählt! Rechts!"

Jo sah Mücke mit gerunzelter Stirn an, sie hatte diesen bösen Große-Schwesternblick perfekt drauf.

Mücke grinste breit: „Ich bin doch nicht doof! Natürlich weiß ich, dass man links aufsteigt."

In den letzten Wochen las Jo so ziemlich alles, was es an Pferdebüchern gab. Mücke las zwar kein Pferdebuch, war aber mindestens genauso gut informiert wie Jo, denn Jo erzählte ihr den ganzen Tag, was sie gelesen hatte. Wie eben zum Beispiel, dass man auf der linken Seite aufsteigt und nicht auf der rechten.

Sie wusste, wie man sich die Zügel zwischen den Ringfinger, den kleinen Finger und den Daumen legte und dass man immer die Hand schließen sollte, das hatte sie bestimmt zehn Mal erwähnt. Für den praktischen Teil musste Mücke ran und ließ sich von Jo in ein selbstgemachtes Pferdegeschirr einspannen, damit Jo die Zügelhaltung üben konnte. Allerdings gefiel es Mücke sehr, als wildes Pferd herumzutoben, auch wenn ihre große Schwester sie dann maßregelte und versuchte ihr den spanischen Schritt beizubringen.

„Meinst du, wir dürfen auch ein Pferd putzen?", fragte Jo ihre kleine Schwester.

„Oh, ich glaube, wir müssen das sogar. Das gehört ja schließlich dazu!", antwortete Mücke.

„Das wäre toll, ich beherrsche nämlich alle Flechtarten, die es zum Mähneeinflechten gibt!"

In der Tat, Jo beherrschte sie alle, zum Leid von Mücke. Kleine Schwestern müssen für die Experimente ihrer großen Schwestern immer herhalten, auch dann, wenn es um neue Flechtarten geht, aber Mücke hasste Haareflechten. Im Gegenzug versprach Jo, die Mathehausaufgaben von Mücke zu erledigen, wodurch das Flechten der Haare auf jeden Fall erträglicher wurde.

„Meinst du, wir dürfen heute schon in der Gruppe mitreiten?", fragte Mücke mit leichter Besorgnis in der Stimme.

„Bestimmt! Warum nicht? Kann ja nicht schwer sein, immer den anderen hinterher", beruhigte Jo.

„Na, wenn das Pferd den anderen auch wirklich hinterherläuft", zweifelte Mücke erneut.

„Du kannst doch mit den Zügeln lenken!", erwiderte Jo, „das wird schon klappen! Auf den Pferden haben schon mehrere Anfänger gesessen und wir sind eigentlich gar keine richtigen Anfänger mehr, denn wir wissen schon sehr sehr viel! Das hat Mama auch gesagt!"

Ja, das hat Mama wirklich gesagt, denn Mama ist früher auch geritten, so wie Oma. Mama saß, seitdem Papa zu Ilka nach München gezogen war, nicht mehr auf einem Pferd. Das war schon ganz schön lange, aber bei Oma war es noch viel länger. Mama und Oma wussten sehr viel und deshalb war Jo fest in dem Glauben, das Wissen über Pferde wäre schon die halbe Miete.

Mama musste meistens den ganzen Tag arbeiten, sie hatte einen kleinen Buchladen in der Stadt. Frau Eckstein, Mamas einzige Angestellte, und Tante Lucie halfen ihr oft.

Oma sorgte jeden Tag für ein leckeres Mittagessen und half bei den Schularbeiten.

Papa sahen sie nicht so oft, weil er angeblich immer so viel arbeiten musste und Ilka seine gesamte Freizeit in Anspruch nahm. Aber er schickte ihnen die Reithelme mit Glitzersteinen und jedem eine Tüte Pferdeleckerli.

Oma spendierte die Reithosen und Tante Lucie brachte gestern jedem eine Tüte Möhren, damit sollten sie heute ihre Pferde freundlich stimmen.

Um halb zwei klingelte es an der Tür, das war das typische Omaklingeln. Jeder wusste, dass das Oma war. Oma kam immer mit Lasse, einem schwedischen Terrier-Mischling. Oma hatte ihn vor zwei Jahren aus ihrem Urlaub in Schweden mitgebracht, zur großen Freude von Jo und Mücke.

Seitdem gehörte nun auch Lasse zur Familie und war somit das einzige männliche Wesen im Haus.

Oma hatte keinen weiten Weg, denn sie wohnte eigentlich nur im Nachbarhaus. Dennoch keuchte sie, als die beiden die Tür öffneten.

„Kinder, ist das warm! Bitte, ich muss mich erst einmal kurz hinsetzen und bitte Mücke, hol mir ein Glas Wasser!" Dann setzte sich Oma auf die Terrasse in den Schatten und trank das Glas Wasser, das Mücke ihr direkt in die Hand gab.

„Können wir nicht schon los?", fragte Jo ungeduldig.

„Ach bitte, lass mich fünf Minuten verschnaufen. Habt ihr denn schon was gegessen?"

„Ja!", logen Jo und Mücke wie aus einem Mund, wenn Oma jetzt noch Mittagessen kochen würde, dann würden sie sich ganz bestimmt verspäten.

„Guck mal, wir haben Reithandschuhe bekommen, zum Zeugnis!", rief Mücke begeistert.

„Ach, Zeugnisse gab es ja heute auch!", Oma setzte sich aufrecht hin, „die will ich sehen!"

Jo warf Mücke einen scharfen Blick zu, denn sie war jetzt schuld daran, dass sie sich nun noch nicht auf den Weg machen konnten. Schnell legten sie Oma ihre Zeugnisse vor die Nase und Jo fügte hinzu: „Alles Zweien! Keine Drei!"

Oma blickte über das Zeugnis und antwortete: „Hmm, aber auch keine Eins!" und sah Jo dabei mit einem ernsten Blick an.

Als Jo verlegen anfing auf ihrer Unterlippe zu kauen, lachte Oma laut auf und rief: „Ach, das war doch nur ein Spaß! Zweien sind prima! Wirklich prima!"

Dann schaute sich Oma das Zeugnis von Mücke an: „Hmm, auch fast alles Zweien!" Oma war entzückt und

Mücke fügte stolz hinzu: „Ja und ich habe eine Eins in Englisch!"

Oma schaute nochmal auf das Zeugnis, als Jo ergänzte: „Genau und eine Drei in Mathe, die eigentlich eine Vier wäre, wenn ich nicht geholfen hätte."

Oma lachte immer noch und lehnte sich gemütlich in den Stuhl zurück. „Ach Kinder, das ist doch wunderbar. Ich hatte mal eine Fünf in Mathe!" Dann beugte sie sich nach vorne und flüsterte ernst: „Das bleibt aber unter uns!"

Jo und Mücke nickten und kicherten leise.

Es kribbelte in Jos Beinen, es erschien ihr unmöglich, sich jetzt ruhig mit Oma an den Tisch zu setzen.

„Oma, können wir jetzt bitte bitte gehen? Ich bin schon sooo gespannt", bettelte Jo.

„Na gut", seufzte Oma, „lasst uns loslaufen, Lasse nehmen wir mit, der liebt Pferdeäpfel!"

Pferdeduft liegt in der Luft

Auf dem kurzen Fußweg erzählten die beiden Oma von der Begegnung mit Seba und dass sie ihn beim Vornamen nennen durften.

„Ich kenne Herrn Alvarez-Sanchez schon eine Weile. Er ist Spanier und ein sehr guter Reitlehrer der alten, spanischen Schule! Ist mal sehr erfolgreich gewesen der Mann! Er kann sehr streng sein, aber meistens ist er sehr freundlich. "

Vor dem Eingangstor des Hofes angekommen, hatte Jo auf einmal das Gefühl, einen Schmetterling verschluckt zu haben. Natürlich hätte sie bemerkt, wenn sie wirklich einen verschluckt hätte. Sie atmete tief ein und legte eine Hand auf den Bauch, als wolle sie den Schmetterling beruhigen.

Als sie den Hof betraten, rannte ein großer schwarzer Hund auf sie zu, der aber freundlich mit dem Schwanz wedelte.

Oma sagte: „Das ist Pastor! Ein spanischer Hirtenhund. Pastor heißt Hirte auf Spanisch!" Oma streichelte Pastor, der jedoch nur Augen für Lasse hatte und es dauerte nicht lange, da waren die beiden auch schon verschwunden.

„Einen wunderschönen Tag, Madame Dumont!", Seba trat mit weit ausgebreiteten Armen aus der Stalltür hinaus in den Innenhof und kam direkt auf sie zu.

„Herr Alvarez-Sanchez!", erwiderte Oma mindestens genauso freundlich, „wie geht es Ihnen? Ich freue mich Sie zu sehen. Was macht die Reiterei? Wie geht es Ihren Pferden?"

Mücke unterbrach Oma und flüsterte: „Oma, das sind drei Fragen auf einmal!"

Oma lachte: „Da hast du recht, aber Herr Alvarez-Sanchez ist einer der wenigen Männer, die drei Fragen auf einmal beantworten können."

„Wunderbarrr!", antwortete Seba, „wenn die Sonne scheint, geht es mir immer gut!"

Oma antwortete: „Das ist gut, das ist sehr gut!"

Jo fiel auf, dass er exakt nur eine Frage beantwortet hatte, aber ihr fiel auch auf, dass sich der Schmetterling in ihrem Magen jetzt mehrmals überschlug.

„Ich habe heute schon die Bekanntschaft mit ihren bezaubernden Enkelinnen gemacht", sagte Seba zu Oma.

Dann wandte er sich Jo und Mücke zu: „Jo und Mücke! Fast elf und fast dreizehn! Richtig?"

Die beiden nickten.

„Prima, dann lasst uns in den Stall gehen, die Pferde warten schon!"

Den dreifachen Salto konnte der Schmetterling jetzt perfekt links und auch rechts herum. Jo und Mücke liefen hinter Oma her, die hinter Seba herlief. Als die Stalltür aufging, wehte ihnen deutlich kühlere Luft entgegen.

Mücke sagte leise: „Mann! Riecht das nach Pferd!"

Jo drehte sich rasch zu Mücke um, „es duftet nach Pferd! Das ist der beste Duft überhaupt!!"

„Naja, wie man´s nimmt", flüsterte Mücke zurück und rieb sich die Nase, „habe ja nicht gesagt, dass es schlecht riecht!"

Seba lief die Stallgasse bis zum Ende und blieb vor den letzten beiden Boxen stehen. „So, das sind heute eure beiden Pferde."

Er zeigte auf die vorletzte Box: „Das ist Kimba, den reitet Mücke."

Mücke war entzückt. Aus der Box heraus blinzelte ihr interessiert ein Schimmelpony entgegen. Sein Schopf war voller Stroh und sein Fell war mit braungelben Flecken übersät.

„Oh, ein weißes! Ich bekomme ein weißes!", freute sie sich. Zur Begrüßung streckte Mücke Kimba eine Möhre entgegen, woraufhin Kimba seine Nase an die Boxenstäbe presste und die Möhre praktisch mit einem Happs verschlang.

Jos Blick fiel auf die letzte Box in der Stallgasse und sie erkannte das goldene Pferd von der Wiese.

Der Schmetterling überschlug sich jetzt mit einem sechsfachen Salto, landete aber mit einem großen Platsch auf dem Boden ihres Magens, als Seba ein paar Schritte in die andere Richtung lief und vor einer anderen Box stehen blieb.

„Jo, du reitest die Trude! Ein sehr nettes Pferd."

Jo blickte noch einmal kurz zur letzten Box und in dem Moment schaute auch das Pferd aus der letzten Box hoch und sie blickten sich für einen kurzen Moment direkt in die Augen. Jo hielt kurz den Atem an, dann senkte das Pferd den Kopf und Jo wandte sich der Box zu, in der Trude stand.

Trude war nicht groß, wenn sie es richtig einschätzen konnte, war Trude auch ein Pony, ein ziemlich rundes Pony. Auf dem braunen Fell klebte überall Sand und die Mähne fiel zottelig in alle Richtungen. Bereits bei diesem ersten Anblick stellte Jo fest, Flechtfrisuren waren hier schier unmöglich. Eine Flechttechnik für diese Art von Mähne beherrschte sie nicht.

Seba hielt schon das Halfter bereit und fragte: „Wisst ihr, wie das mit dem Halfter funktioniert?"

„Klar!", erwiderte Jo, obwohl sie noch nie einem Pferd ein Halfter angelegt hatte. Wie gut aber, dass sie sich das mindestens sechs Mal auf YouTube angesehen hatte, was dazu führte, dass es ihr auf Anhieb gelang.

Trude machte ihr das auch sehr leicht, sie hielt den Kopf runter und ließ sich das Halfter geduldig über die Ohren ziehen.

Kimba hingegen drehte Mücke seinen Hintern zu, als Mücke die Boxentür öffnete. Von Jo wusste sie, dass sie immer vorsichtig von hinten an ein Pferd herangehen sollte, denn es könnte ausschlagen. Also blieb sie erst einmal stehen und wedelte mit dem Halfter um Kimba zu zeigen, dass sie ihn aufhalftern wollte. Aber Kimba interessierte das überhaupt nicht.

Seba eilte Mücke zu Hilfe, ging ohne zu zögern an Kimbas Hinterteil vorbei und halfterte ihn auf. Dann drehte er ihn um und drückte Mücke den Strick in die Hand.

„Zum Putzen gehen wir aber wieder nach draußen! Mir nach!", rief er und marschierte los.

Kimba hatte das „Mir nach!" verstanden und lief ohne auf Mücke zu warten, an ihr vorbei und hinter Seba her. Dabei rutschte Mücke der Strick leicht durch die Hände, was einen brennenden Schmerz hinterließ.

Kimba kam nur eine Box weiter, denn da stand Jo bereits vor der Box.

Trude kaute noch genüsslich auf dem Heu, als Jo sich den Strick von Kimba schnappte.

„Pass auf, Mücke!" Das war keine Warnung, das war eindeutig ein Befehl!

Mücke ergriff den Strick. „Das ist nicht meine Schuld! Er wollte hinterher und hat nicht auf mich gewartet!"

Dann trabte Mücke neben den flotten Schritten von Kimba her, der Seba die Stallgasse entlang folgte.

Jo zog Trude am Strick, woraufhin der Hals von Trude immer länger wurde, jedoch bewegte sich kein einziger Huf. Jo zog etwas stärker am Strick, jedoch außer einer perfekten Halsverlängerung bot Trude nichts an.

Oma, die noch vor der Boxentür stand, sagte in einem ruhigen Ton: „Stell dich neben sie und lauf los, den Strick ganz locker und guck sie nicht an."

Jo hörte auf den Rat von Oma und siehe da, Trude lief los, allerdings in Zeitlupe, aber sie lief.

Seba und Mücke hatten Kimba schon mit einem perfekten Strickknoten angebunden, als Jo mit Trude um die Ecke bog.

Trude lief noch immer in Zeitlupe und Jo passte sich ihr an, was ihr sehr schwer fiel.

Seba stellte jedem eine Putzkiste hin und verkündete, dass er jetzt mit Oma eine Tasse Kaffee trinken würde und wenn er wiederkäme, hätte er es gern, wenn er sich im Fell der Pferde spiegeln könne.

Daraufhin musste Oma laut lachen und fragte Jo und Mücke: „Meint ihr, ihr kommt zurecht?" Jo und Mücke nickten, wenngleich sie sich nicht wirklich sicher waren.

Als Seba und Oma um die Ecke verschwanden, trat ein Mädchen mit einem hohen braunen Zopf aus der Stalltür, sah zu Mücke und Jo herüber und ging dann auf die beiden zu. Ihr Gesicht war mit Sommersprossen übersät und ihr Zopf wippte von rechts nach links.

„Hallo, ich bin Inchi. Braucht ihr Hilfe?" Inchi schien in dem Alter von Jo zu sein, zumindest wirkte sie älter als Mücke.

Mücke antwortete zuerst: „Das wäre vielleicht nicht schlecht, wir sind zum ersten Mal hier!"

Inchi nahm sich eine Bürste aus Jos Putzkasten und fing an Trude zu bürsten.

Es war ja nicht so, dass Jo sich nicht über die Hilfe von Inchi freute, aber sie hätte Trude am liebsten allein geputzt. Nun putzte Inchi auf der anderen Seite und Jos ganzer Plan, so wie sie es gelernt hatte, wurde über den Haufen geworfen.

„Wie heißt ihr?", fragte Inchi.

Diesmal antwortete Jo: „Ich bin Jo und das ist Mücke. Sie hat mal eine Mücke verschluckt."

Mücke drehte sich mit einem bösem Blick zu Jo um, die aber mit dem Rücken zu ihr stand. Deshalb traf der Blick Inchi, die laut lachen musste.

„Ich heiße eigentlich auch nicht Inchi, sondern Indira, aber Inchi gefällt mir viel besser!" Dabei zwinkert sie Mücke zu, die mit einem kurzen Lächeln antwortete.

Trude stand wie in Beton gegossen und bewegte sich keinen Zentimeter. Ab und zu zuckte mal ein Ohr und der Schweif wedelte wegen der Fliegen in einem Zeitlupentempo von rechts nach links.

Kimba hingegen lief beim Ansetzen der Bürste jedes Mal ein paar Schritte nach vorn und wieder zurück, gerade soviel, wie die Länge des Strickes es erlaubte.

„Du musst die Bürste fester aufdrücken!", rief Inchi Mücke zu, „Der ist kitzelig!"

Mücke drückte die Bürste vorsichtig etwas fester auf, jedoch sprang Kimba nun einen halben Meter in die andere Richtung.

Jo flüsterte Inchi zu: „Vielleicht magst du lieber Mücke helfen?"

Inchi stimmte Jo zu und nahm sich eine Bürste aus dem anderen Putzkasten und legte los. Kimba zappelte zwar noch ein wenig, entspannte sich aber rasch und streckte seinen Hals lang, als Inchi ihn kräftig bürstete.

„Das mag er am liebsten", erklärte Inchi.

Mücke drückte mit aller Kraft auf die Bürste und rubbelte nun auf der anderen Seite des Halses, was Kimba sichtlich genoss.

„Wie sind Kimba und Trude so beim Reiten?", pustete Mücke, die durch das kräftige Bürsten schon leicht außer Atem kam.

Inchi unterbrach kurz das Putzen, auch sie musste kurz Luft holen: „Beide sind sehr brav. Das sind unsere liebsten Anfängerpferde. Kimba hat manchmal seinen eigenen Kopf, aber der bockt nie."

Jo fragte noch einmal nach: „Und Trude?"

Inchi lachte: „Trude ist die Beste. Sie kennt alle Kommandos von Seba, man muss eigentlich gar nichts machen. Von Trude ist nur einmal einer runtergefallen, nämlich als Seba laut „Halt!" gebrüllt hat", erzählte Inchi, „Zitrönchen war mal wieder bockend durch die Halle geprescht."

Sie holte kurz Luft: „Und wenn Seba „Halt!" ruft, heißt das für Trude stehenbleiben und zwar sofort. Aber an diesem Tag sind fast alle runtergefallen, weil Zitrönchen mit seinem Bocken alle erschreckt hat."

„Wer ist Zitrönchen?", fragte Jo.

„Ach, ein schreckliches Pferd", antwortete Inchi, „Aber ihr braucht keine Angst haben, dass ihr den jetzt sofort reiten müsst, dazu müsst ihr schon halbwegs sicher sein. Der bockt jedes Mal und keiner will den reiten!"

Jo und Mücke hörten Inchi aufmerksam zu, so aufmerksam, dass sie dabei sogar das Putzen unterbrachen.

Inzwischen kamen weitere Kinder mit ihren Pferden aus dem Stall und banden ihre Pferde im Innenhof an.

Ein Mädchen mit dunklen langen Haaren band ihr Pony neben Kimba an.

„Hey Inchi!", rief sie und begrüßte anschließend mit einem kurzen „Hallo" Mücke und Jo.

Inchi umarmte das Mädchen kurz und sagte dann: „Das ist Jo und das ist Mücke, sie hat mal eine Mücke verschluckt, deshalb heißt sie so."

Jo grinste Mücke an und Mücke streckte Jo kurz die Zunge heraus, als keiner hinschaute.

Das Mädchen schien auch in dem Alter wie Inchi zu sein, sie sagte: „Herzlich willkommen! Ich bin Esra."

Inchi flüsterte Mücke zu: „Eigentlich heißt sie Esmeralda, aber ihr dürft sie niemals so nennen!"

Dann machte Inchi eine kurze Pause. Etwas lauter fuhr sie fort: „Ich finde den Namen „Mücke" übrigens sehr cool!"

Mücke strahlte über das ganze Gesicht. Die vielen neuen Mädchen, die anscheinend alle älter waren als sie und auch das zappelige Verhalten von Kimba, im Vergleich zu Trude, ließen ein wenig Unruhe in ihr aufsteigen. Aber sie fand Inchi nett und freute sich sehr über ihre Hilfe. Dadurch fühlte Mücke sich schon viel besser.

Seba und Oma bogen mit ihren Kaffeetassen um die Ecke.

„Aaaaah, das sieht ja schon ganz ordentlich aus!" Seba war sichtlich begeistert. „Wenn ihr soweit seid, können wir ja schon den Sattel und die Trense holen, oder?"

Inchi rief sofort: „Ich hole die Sachen!"

Aber Seba schickte Jo und Mücke mit, damit Inchi ihnen die Sattelkammer zeigen konnte.

In der Sattelkammer hingen die Sättel sehr ordentlich übereinander. Inchi zeigte Mücke und Jo, dass der Name des Pferdes immer am Trensenhalter stand und der Sattel darüber zum Pferd gehörte.

Eigentlich ganz einfach, fand Jo. „Seht ihr, hier sind auch schon eure beiden Sättel. Mücke, du hast Glück, deiner hängt ganz unten." Inchi zeigte auf einen alten dunkelbraunen Sattel und fuhr fort: „Wer Zitrönchen reiten will, muss immer auf einen Tritt steigen, weil der Sattel ganz oben hängt."

„Wie sieht der aus? ...Zitrönchen, meine ich", wollte Jo wissen.

„Ach, Zitrönchen ist das gelbe Pferd, steht in der letzten Box, hinter Kimba. Ich glaube, er ist ein Palomino oder sowas, das weiß ich aber nicht so genau."

Jo zählte Eins und Eins zusammen: Das schöne Pferd von der Wiese, das eher goldig als gelb in der Sonne glänzte, war eigentlich das schrecklichste Pferd im Stall!

Inchi schnappte sich den Sattel von Trude und drückte Jo die Trense in die Hand.

„Keine Sorge, wie ich schon sagte, ihr müsst den nicht sofort reiten. Bestimmt eines Tages, aber noch nicht jetzt."

Jos Gedanken waren noch bei dem wunderschönen Pferd, das auf der Wiese entfernt von den anderen stand und das anscheinend keiner wirklich mochte, bei Zitrönchen. Mochten ihn die anderen Pferde tatsächlich auch nicht? Warum mochte Inchi ihn nicht? Wegen der Farbe? Sie hatte „gelb" gesagt, sein Fell wäre gelb. Oder weil er im Unterricht bockte?

Jo blieb nicht viel Zeit zum Nachdenken.

Seba nahm Inchi den Sattel ab und erklärte: „So, ich zeige euch heute wie man sattelt. Wenn ihr das nächste Mal kommt, macht ihr das allein, ich kontrolliere dann nur noch."

Dabei lächelte er freundlich, auch wenn der Ton schon ein wenig bestimmt klang. Seba legte zuerst den Sattel von Trude auf den Rücken, setzte ihn am Ende der Mähne an und ließ ihn auf Trudes Rücken sanft etwas nach hinten gleiten.

Trude zeigte zum ersten Mal eine Reaktion: Das Satteln gefiel ihr gar nicht, sie legte die Ohren an und biss in die Metallstange, an der sie angebunden war.

„Madre mia!", rief Seba, was soviel heißt wie „meine Güte!"

„Stell dich nicht so an!" Dabei tätschelte er Trude am Bauch, die dann nur noch die Ohren anlegte, aber wenigstens nicht mehr in die Metallstange biss.

Jo und Mücke folgten ganz genau den Anweisungen von Seba. Auch beim Trensen schauten sie zu, welche Lasche in welche Öse gehörte.

Mücke zweifelte leise: „Hoffentlich kann ich mir das alles bis zum nächsten Mal merken."

Seba lachte und antwortete: „Das musst du dir alles merken! Das nächste Mal musst du es nämlich alleine machen!"

Oma, die hinter Seba stand, signalisierte Mücke in Zeichensprache, dass sie ihr helfen würde, was Mücke sofort ungemein beruhigte.

Als beide Pferde fertig gesattelt und getrenst waren, reichte Oma Jo und Mücke die Reitkappen und Handschuhe und dann folgten sie den anderen Kindern mit ihren Pferden in Richtung Reithalle.

Inchi begleitete die beiden.

Vor der Halle angekommen, warteten alle ruhig in einer Reihe, bis Seba die Hallentür öffnete. Jeder führte sein Pferd in die Halle und stellte sich in der Mitte neben den anderen auf. Alle blieben neben ihren Pferden stehen, bis Seba laut „Aufsitzen!" rief.

Jo zitterten leicht die Hände, als sie aufstieg, während Mücke unübersehbar die Knie zitterten.

Inchi, die Mücke beim Aufsteigen half, bemerkte das und flüsterte ihr zu: „Keine Angst, Kimba ist ganz lieb und läuft brav hinterher. Wenn du große Angst hast, sag das laut, dann hält Seba die Gruppe an."

Jo, die hörte, was Inchi zu Mücke sagte, erinnerte Mücke warnend: „Schrei nicht „Halt", sonst fliege ich runter!"

Inchi kicherte, „Oh nein, du fliegst nur runter, wenn Seba „Halt!" schreit."

„Keiner fliegt hier runter!" Sebas Stimme klang ernst. Er trat an Trude heran und prüfte die Länge der Bügel und zog noch einmal den Sattelgurt fest.

„Hast du Angst?" fragte er Jo, aber Jo schüttelte den Kopf.

„Gut! Das ist sehr gut!", erwiderte er, ging dann zu Kimba und stellte die Bügel für Mücke nach und zog auch bei Kimba noch einmal den Sattelgurt fest. Er bemerkte, dass Mückes Knie zitterten.

„Hast du Wackelpudding gegessen?", fragte er ernst.

Mücke schüttelte den Kopf.

„Gut! Das ist sehr gut! Dann gibt es nämlich keinen Grund, warum Deine Knie wackeln!" Seba zwinkerte und, zum Erstaunen von Mücke, hörten sie tatsächlich auf zu zittern.

Im Arbeitstempo Teeerab!

Seba atmete tief durch und gab in einem sehr bestimmten und deutlichen Ton an: „Esra! Du übernimmst mit Chocolat die Tete! Dann Kati mit Ringo, dann Jenny und Armando, dann Kimba…", er stockte kurz, „nein, erst noch Emma und dann Kimba. Jo, du gehst mit der Trude ans Ende."

Seba holte erneut tief Luft und rief dann laut: „Auf der rechten Hand im Schritt Abteilung bilden!" und sofort setzten sich die Pferde in Bewegung.

Das Einsortieren klappte wie geschmiert, für Jo und Trude war das ja nicht schwer sich hinten dran zu hängen und Kimba hatte anscheinend verstanden, wo er hin sollte und er suchte sich seinen Platz wie von allein. Als sie auf dem Hufschlag an der Tribüne vorbei ritten, winkte Oma kurz, auch Mama und Tante Lucie hatten es noch pünktlich geschafft und strahlten über das ganze Gesicht. Mücke hob eine Hand und winkte Oma kurz zurück, woraufhin Jo Mücke von hinten anzischte: „Nicht die Zügel loslassen!"

Seba rief in diesem Augenblick: „So, und jetzt lassen wir alle mal die innere Hand los und klopfen unser Pferd am Hals!"

Mücke drehte sich kurz zu Jo um: „Siehste! Ich kann…",

Seba unterbrach sie: „Liebe Mücke, liebe Jo! In meinem Unterricht wird geritten und nicht gestritten! Ihr dürft mit mir oder mit eurem Pferd reden, sonst aber rede nur ich!"

Jo und Mücke nickten kurz.

Nachdem sie ihr Pferd mit der inneren Hand getätschelt hatten, folgte dieselbe Übung mit der äußeren Hand, so wie Seba es anordnete.

„Langer Hals, lange Ohren und ein langer Rücken!", rief Seba, „Das will ich sehen!"

Von hinten sah es tatsächlich so aus, als ob Mücke versuchte, ihre Ohren lang zu machen und Jo musste lachen.

Jo und Mücke saßen ja nicht das erste Mal auf dem Pferd, allerdings hatten sie noch nie eine richtige Reitstunde. Oma und Mama waren im Urlaub mit den beiden, wie mit einem Hund an der Leine, spazieren gegangen. Nur in dem Fall nicht mit einem Hund, sondern mit einem Pony an der Leine. Dabei brachte Oma ihnen das Leichttraben bei. Aber feste Regeln gab es sonst nicht. Im Urlaub war es egal von welcher Seite man aufstieg, Hauptsache man kam irgendwie drauf. Die Ponys standen auch immer schon fix und fertig angezogen bereit, so dass sie zuvor auch nie ein Pferd auftrensen oder satteln mussten. Weil Oma Jo und Mücke aber schon das Leichttraben beigebracht hatte, durften sie heute schon im Unterricht mitreiten. Seba sagte Oma, dass Anfänger nämlich normalerweise erst an die Longe müssten.

„Abteilung – im Arbeitstempo Teeerab und durch die ganze Bahn wechseln!", kommandierte Seba und bis auf Trude setzten sich alle in Bewegung. Seba ging zwei Schritte auf Trude zu, woraufhin Trude in den Trab sprang und an Kimba herantrabte. Jo wusste, dass das „durch die ganze Bahn wechseln" zu den Bahnfiguren gehörte, die sie gelernt hatte. Aber hier in der Halle sah das alles ganz anders aus und sie verfolgte genau, wann Esra abbog, um durch die Bahn zu wechseln und wann sie wieder ankam.

Mücke strahlte über das ganze Gesicht und es sah so aus, als ob auch Kimba fröhlich den anderen hinterherlief.

Seba korrigierte bei der einen oder anderen Reiterin den Sitz, indem er sagte: „Absatz runter und Fußspitzen nach innen!" oder „Hände nicht so hoch!" oder „Achte auf deinen Rücken!"

Zwischendurch ließ er sie durchparieren zum Schritt, auf dem Zirkel traben oder erneut durch die Bahn wechseln.

Mücke bekam beim Traben Seitenstiche, ließ sich aber nichts anmerken.

Seba lobte die beiden immer wieder kurz, weil sie so gut mithalten konnten.

Trude machte keinen Schritt zuviel, wenn Seba Luft holte um das Kommando für den Schritt zu geben, parierte sie schon durch.

Dann fragte Seba laut: „Wer möchte nicht galoppieren?" Keiner meldete sich und obwohl Mücke kurz darüber nachdachte, den ersten Galopp vielleicht auf die nächste Reitstunde zu verschieben, traute sie sich auch nicht, sich als Einzige zu melden.

Also ließ er Esra als Erste angaloppieren und Esra gelang das sehr gut. Sie und ihr Pony galoppierten bis an Trude heran, dann gab Seba das Kommando für den Nächsten.

Bevor Mücke mit Kimba dran war, ermahnte er Mücke, die Zügel nachzufassen und Kimba schön kurz zu halten, aber dann war es schon zu spät. Kimba schoss quietschend los und galoppierte doppelt so schnell wie die Anderen, bis ans Ende der Abteilung.

Oma, Mama und Tante Lucie jubelten von der Tribüne aus Mücke zu.

Jo raste das Herz, aber Mückes Herz raste schneller, sie war nicht runtergefallen.

Jetzt war Jo dran.

Seba erklärte ihr, dass sie den äußeren Schenkel etwas zurücklegen sollte, aber Trude spazierte seelenruhig weiter. Dann ging Seba wieder zwei Schritte auf Trude zu und Trude bemühte sich in den Trab zu fallen. Es bedurfte zwei weiterer Schritte von Seba in Trudes Richtung, die dann tatsächlich Trude zum Galopp bewegten, langsam und klobig bis an Kimba heran.

„Das habt ihr großartig gemacht! Zügel aus der Hand kauen lassen und loben!"

Danach tätschelten und klopften alle ihre Pferde am Hals. Obwohl es nicht sehr anstrengend war, waren sowohl die Pferde als auch Jo und Mücke klatschnass geschwitzt. Und auch nach fünfzehn Minuten Schritt waren die Pferde noch nicht wieder trocken, was wohl aber an den hochsommerlichen Temperaturen lag.

Seba ließ wieder alle in der Mitte aufmarschieren und gemeinsam absitzen.

Kimba und Trude wurden von zwei anderen Mädchen übernommen, andere brachten ihre Pferde raus und zwei neue kamen herein. Jo entdeckte sofort, dass das eine Pferd Zitrönchen war.

Das große dürre Mädchen, das Zitrönchen führte, sah nicht sehr glücklich aus. Sie zog an Zitrönchens Zügeln und schimpfte: „Wenn du dich nicht benimmst, dann kannst du was erleben!"

Jo beobachtete Zitrönchen, der sich zu allen Seiten umsah, der sich aber in keinster Weise böse oder unfreundlich zeigte und trotzdem zerrte das dürre Mädchen ihn unentwegt am Zügel.

„Samantha! Hör auf an den Zügeln zu ziehen! Der bekommt schon schlechte Laune, bevor die Stunde überhaupt angefangen hat!", rief Seba und lief auf Zitrönchen zu, der sich jetzt ganz groß machte und seine Nüstern aufblähte.

„Ich helfe dir beim Aufsteigen! Bleib freundlich, dann ist er es auch!", sagte Seba.

Inchi, die neben Zitrönchen gerade auf ihr Pony stieg, murmelte: „Sam ist nie freundlich!", woraufhin Seba ihr einen strengen Blick zuwarf, dazu aber nichts weiter sagte.

Als Samantha ihren Fuß in den Steigbügel steckte, um aufzusteigen, lief Zitrönchen zwei Schritte nach vorne, obwohl Seba ihn an den Zügeln hielt. Samantha nahm sofort den Fuß aus dem Bügel und blökte: „Du dummes Vieh! Du sollst stehen bleiben!"

Seba drückte Zitrönchen sanft, aber bestimmt wieder zwei Schritte zurück und unterstütze Samantha beim Aufsteigen, wodurch sie schneller im Sattel saß.

Zitrönchen stand nun ganz still.

„Verflucht nochmal!", meckerte Samantha, „nicht einmal beim Aufsteigen steht der still!"

Seba klopfte Zitrönchen am Hals und wandte sich dann an Samantha: „So, und ab sofort rede nur ich! Du reitest!"

Samantha verzog das Gesicht und als Seba sich umdrehte, streckte sie ihm die Zunge heraus.

Oma, Mama und Tante Lucie, sowie auch Jo und Mücke, verfolgten das Spektakel von der Tribüne aus.

Mama sagte: „Was für ein hübsches Pferd! Was ist mit dem?"

„Was ist wohl besser mit der?", antwortete Oma.

„Wenn ich das Pferd wäre, würde ich die im hohen Bogen in den Sand setzen!"

In diesem Moment drehte Zitrönchen den Kopf in Richtung Tribüne und Jo flüsterte Oma zu: „Pssst, er kann uns hören!"

„Wer?", fragte Oma.

„Das Pferd", flüsterte Jo, „das ist Zitrönchen!"

„Zitrönchen?", fragte Mama nach und lachte, „na, jetzt ist er sicher ein sehr saures Zitrönchen!"

Oma unterbrach: „Gut, lasst uns nach Hause gehen, ich habe schon einen Kartoffelsalat vorbereitet und wir können nachher noch ein paar Würstchen grillen, wenn ihr wollt."

Mücke jubelte, sie hatte nach dieser Reitstunde einen Bärenhunger.

Jo aber antwortete: „Darf ich noch zugucken? Ich komme dann nach, wenn die Stunde zu Ende ist."

Mama nickte mit dem Kopf und sagte: „Einverstanden, aber spätestens um sechs bist du zu Hause!"

Oma winkte Seba zum Abschied, der jedoch daraufhin an die Tribüne heran trat.

„Buenos dias die Damen", begrüßte er Mama und Tante Lucie, „die Kinder haben das sehr gut gemacht! Wann kommen Sie wieder?"

Oma erwiderte: „Wie es Ihnen passt Herr Alvarez-Sanchez! Die Kinder haben ja Ferien und wir fahren dieses Jahr nicht in den Urlaub."

Seba antwortete: „Wegen mir können sie gerne jeden Tag kommen."

Jo unterbrach ihn mit einem freudigen „Oh ja!"

Seba lachte und fuhr fort: „Nein, im Ernst, es sind nur wenige Kinder in den Ferien hier, aber alle Pferde müssen bewegt werden. Helmut, unsere gute Seele aus dem Stall arbeitet in den Ferien nur einen halben Tag, den Rest mache ich und ich kann jede Hilfe gebrauchen. Die Kinder, die tagsüber helfen, dürfen am Nachmittag reiten. So machen wir das immer in den Ferien."

Oma schüttelte den Kopf und sagte: „Aber die Kinder können Ihnen doch nicht jeden Tag auf der Nase herumtanzen."

Mücke warf ein: „Wir benehmen uns auch Oma!"

Seba antwortete: „Hier tanzt mir keiner auf der Nase. Die werden so beschäftigt sein, dass sie dazu keine Zeit haben werden. Inchi und Esra kommen auch fast jeden Tag."

Jo zappelte schon wieder: „Mama, biiiitte!"

Mama kam aber nicht zu Wort, weil Oma erneut das Wort ergriff: „Von mir aus! Aber Herr Alvarez-Sanchez, bitte sagen Sie Bescheid, wenn es Ihnen zu viel wird!"

Mücke und Jo jubelten kurz auf!

Seba zwinkerte ihnen zu und sagte: „Ab elf Uhr könnt ihr kommen!"

Und da war er wieder, Jos Schmetterling hatte den Bauchklatscher überlebt und schlug jetzt dreifache Saltos vor Freude.

Dann verließen Mama, Tante Lucie, Oma und Mücke die Tribüne und Jo versprach, Lasse später mitzubringen, weil der in Pastor anscheinend seinen besten Freund gefunden hatte und partout nicht mit Oma mitgehen wollte.

„Der ist auch schon mit dem Pferdebazillus infiziert!", lachte Oma, als sie das Tor des Reiterhofes schloss.

Jo saß nun ganz allein auf der Tribüne und sog jedes Kommando von Seba in sich auf. Ihr fiel auf, dass Samantha schon sehr sicher im Sattel wirkte und auch wenn sie ihr Gesicht verzog, doch eine ganz ordentliche Figur machte.

Samantha ritt an der Tete und Zitrönchen lief in einem flotten Tempo voran, so dass sich zu Inchi, die an zweiter Stelle ritt, ein Abstand bildete.

Seba lobte Samantha, aber auch Inchi und die anderen immer wieder, ließ auch sie zwischendurch immer wieder antraben und wieder zum Schritt durchparieren. Dann kündigte er an, dass die Abteilung durch die Länge der Bahn wechseln sollte und somit kam Samantha mit Zitrönchen direkt auf Jo zugeritten.

Jo verhielt sich mucksmäuschenstill, traute sich kaum zu atmen. Jo fand, dass Zitrönchen seinen Kopf wunderschön hielt und sie sah, wie seine Mähne sich bei jedem Schritt auf und ab wellte.

Kurz bevor Samantha vor der Tribüne den Hufschlag erreichte, nahm Zitrönchen plötzlich den Kopf zwischen die Beine, machte seinen Rücken rund und bockte nach rechts.

Samantha saß binnen zwei Sekunden direkt vor Jo im Sand.

„Haaaaaalt!", schrie Seba und alle Pferde blieben wie angewurzelt stehen.

Bis auf Zitrönchen, der bockte und buckelte in einem Affenzahn kreuz und quer durch die Halle, immer um die anderen herum.

Seba versuchte sich ihm in den Weg zu stellen, jedoch schlug Zitrönchen vorher einen Haken und bockte weiter in die andere Richtung.

Samantha, die schon wieder auf den Beinen stand, tobte und schrie: „Diesen Esel reite ich nicht mehr, der gehört in die Wurst!" Sie schäumte vor Wut: „Das ist ja nicht zu glauben! So ein Gaul gehört nicht in den Schulunterricht!" Dann verließ sie schnaubend die Halle.

Jo war inzwischen aufgesprungen, starrte fassungslos hinter Samantha her, die einfach so die Halle verließ. Sie sah Seba, der immer wieder versuchte, Zitrönchen den Weg abzuschneiden, doch es gelang ihm nicht. Zitrönchen tobte weiter wie ein Wildpferd um die anderen herum.

„Absitzen!", schrie Seba, der anscheinend Angst hatte, dass noch ein anderer runterfallen würde. Sobald alle runter von ihren Pferden waren, hörte Zitrönchen auf zu bocken und stellte sich neben das Pferd von Inchi und Inchi gelang es die Zügel von Zitrönchen zu greifen.

Zitrönchen schnaubte und zitterte am ganzen Körper.

Seba hatte Inchi bereits die Zügel abgenommen und schimpfte irgendetwas Unverständliches vor sich her, wahrscheinlich fluchte er auf Spanisch.

„Alle bleiben wo sie sind, ich komme gleich wieder", rief Seba und wandte sich plötzlich an Jo.

„Kannst du bitte mit mir in den Stall kommen und mir helfen?"

Jo erschrak und sah sich um, ob noch jemand hinter ihr stand, aber da war keiner, Seba meinte tatsächlich sie. Der Schmetterling litt gerade eindeutig an einem Ganzkörperzittern.

„Jo?", fragte Seba nach und Jo nickte und stieg die Stufen der Tribüne herunter.

Seba wartete schon vor der Tür und sagte zu Jo: „Kannst du ihn bitte in der Box mit Stroh abreiben, so nassgeschwitzt kann er nicht stehen bleiben. Ich helfe dir schnell mit dem Sattel und der Trense, aber dann muss ich zurück in die Halle."

Jo nickte, sie brachte kein Wort heraus.

Seba lief mit Zitrönchen in einem forschen Schritt in den Stall, vor der Box tauschte er die Trense gegen das Halfter und nahm den Sattel ab.

Zitrönchen war klatschnass und zitterte immer noch.

Seba klopfte ihn nicht am Hals, so wie er es mit den anderen Pferden tat, als er ihn die Box führte. „Du kannst bei ihm so reingehen, er wird dir nichts tun. Bitte reib ihn ordentlich mit Stroh ab. Nicht dass er krank wird."

Dann drehte er sich um und eilte zur Halle zurück. Jo stand vor der Box und konnte immer noch nicht fassen, was gerade passiert war und dass sie nun in die Box zu dem wilden Pferd gehen und es mit Stroh abreiben sollte. Das hatte sie noch nie gemacht und wie man Pferde mit Stroh abrieb, stand auch nicht in den Büchern.

Als Jo an die Box herantrat, scharrte Zitrönchen mit einem Vorderhuf im Stroh, drehte sich im Kreis und auf einmal war er verschwunden. Jo stürzte an die Boxentür und sah, dass Zitrönchen sich genussvoll wälzte. Sie wartete in sicherer Entfernung bis Zitrönchen wieder stand. Nun zitterte er nicht mehr. Er schnaubte Jo an, so als wolle er fragen, warum sie da herumstehen würde. Sie trat langsam in die Box ein, beugte sich noch mit einem sicheren Abstand herunter und nahm ein riesiges Büschel Stroh auf. Dann trat sie an Zitrönchen heran, der an dem Stroh kurz schnupperte, sich aber dann der Tränke zuwandte und mindestens fünf Minuten lang trank. Jo rieb dabei mit dem Stroh an seinem Hals.

Als Zitrönchen mit dem Trinken fertig war, schnupperte er an Jos Hosentasche und an ihrem T-Shirt.

Jo unterbrach das Reiben mit Stroh und streichelt vorsichtig seine Nase. Sie fühlte seine weiche Nase und sie war sich sicher, das war die weichste Nase, die sie je berührt hatte. Dann dachte sie an Sebas Worte, dass sie Zitrönchen abreiben sollte, damit er nicht krank wird und deshalb rieb und rieb sie ihn von allen Seiten ab.

Sie hörte, wie die anderen Kinder mit ihren Pferden in die Stallgasse kamen und irgendwann kam Seba und sagte: „Ich danke Jo, das reicht!"

Als Jo aus der Box trat, fragte Seba noch einmal nach:

„Kommt ihr morgen wieder?" und Jo nickte und antwortete: „Ich möchte sehr gerne, ja!"

„Prima, dann bis morgen!", erwiderte Seba und verließ die Stallgasse.

Jo ging die Stallgasse entlang, als sie Inchi hörte, die sich mit Esra unterhielt.

„Unmöglich dieses Pferd! Sam hat recht, Zitrönchen ist nicht für den Schulbetrieb geeignet. Wenn sie das ihrem Vater erzählt, das wird Ärger geben!"

Esra antwortete darauf: „Also ich muss ehrlich sagen, Sam hat das verdient. Sie tut immer so, als könne sie jedes Pferd reiten und dann macht der einmal einen Satz und schon liegt sie im Sand. Geschieht ihr ganz recht!"

Jo schlich an den Boxen vorbei, sie hatte keine Uhr um und wollte es sich auch nicht gleich am ersten Tag mit Mama und Oma verderben und beschloss nach Hause zu laufen.

Lasse kam ihr am Tor schon entgegen, auch er schien Hunger zu haben und wollte nach Hause. Zusammen liefen die beiden den etwa zwanzigminütigen Weg an den Pferdewiesen entlang und Jo fühlte eine deutliche Schwere in ihren Beinen.

Der Schmetterling verhielt sich ruhig, dafür knurrte aber jetzt etwas in ihrem Magen umso mehr.

Aber gab es knurrende Schmetterlinge?

Jo musste lachen bei diesem Gedanken.

Als sie den Grill roch, rannte sie das letzte Stück. Außerdem wollte sie Mücke unbedingt von Zitrönchen erzählen.

Mama und Oma wollte sie lieber noch nichts davon erzählen, weil sie befürchtete, dass Oma und Mama sie dann nicht mehr reiten ließen.

Sieben Mal!

Als Jo ins Haus kam, traf sie auf Mama.

„Herrje, wie siehst du denn aus? Du bist ja voller Stroh!"

Stimmt, das Stroh klebte überall, an der Kleidung und in ihren Haaren.

„Geh bitte erst mal auf die Terrasse und mach dich sauber, bevor du ins Haus kommst", lachte Mama.

„Mücke! Hilf bitte mal deiner Schwester!"

Mücke kam die Treppe herunter und erblickte Jo auf der Terrasse.

„Was ist denn mit dir passiert?", fragte Mücke und begann das Stroh an Jos Kleidung abzuzupfen.

„Ich muss dir was erzählen", antwortete Jo und zerrte Mücke von der Terrasse runter in den Garten.

„Zitrönchen hat Samantha abgeworfen und bockte wie ein Wildpferd durch die Reithalle. Samantha ist dann einfach gegangen und alle mussten absteigen und Seba bekam Zitrönchen nicht eingefangen und ich habe ihn dann mit Stroh abgerieben."

Mücke konnte nicht mehr folgen.

„Moment, du hast das gefährliche Pferd mit Stroh abgerieben?"

„Er ist gar nicht gefährlich! Er war ganz lieb!", erwiderte Jo.

„Ich dachte, er hat Samantha abgeworfen?" Mücke hörte auf zu zupfen.

„Ja, hat er auch. Also noch einmal von vorn!" und dann erzählte Jo die ganze Geschichte noch einmal von vorn.

„Er hat dir nichts getan?", fragte Mücke besorgt, als Jo mit ihrer Geschichte fertig war.

„Nein, in der Box war er wie die anderen Pferde auch, ganz normal. Er hat an mir geschnuppert, aber er hat mir nichts getan."

Mücke dachte nach und zupfte dabei das Stroh aus Jos Haaren.

„Ich will den niemals reiten!", sagte Mücke leise.

Jo schüttelte den Kopf und antwortete: „Ich glaube, der ist nicht böse!"

Sie machte eine kurze Pause und fügte dann hinzu: „Sag bitte nichts Mama oder Oma, sonst dürfen wir vielleicht nicht mehr hin."

Mücke nickte kurz und dann rief Oma schon, dass die Würstchen fertig waren.

Beim Abendbrot erzählte Oma von Mamas erster Reitstunde. Mama erinnerte sich sogar noch an den Namen des Pferdes aus dieser Zeit. Speedy, ein Haflingerwallach. Dann kramte Oma noch alte Fotos heraus, die Jo und Mücke zuvor noch nie gesehen hatten. Oma sagte, sie hätte diese Bilder extra für diesen Tag aufgehoben.

Mücke aß ganze drei Würstchen, Jo war eigentlich schon zu müde, sie aß nur eins.

Oma kündigte an, am nächsten Tag mit Mittagessen im Stall vorbeizuschauen. Oma erklärte ausführlich die Notwendigkeit einer ausgewogenen Nahrungsaufnahme während der harten Stallarbeit. Sie fachsimpelte über die Verbrennung von Vitaminen, aber Jo konnte Oma gar nicht mehr zuhören.

Auch Mama schmunzelte bei Omas Vortrag über Calcium und Magnesium, denn sie wusste, dass es Oma nicht wirklich um ein ausgewogenes Mittagessen ging, sondern um die Stallluft, um ihre Enkelinnen und um die Pferde.

„Jetzt aber ab unter die Dusche und dann nichts wie ab ins Bett!", ordnete Mama an.

Jo und Mücke schleppten sich mehr oder weniger die Treppe hoch, um duschen zu gehen.

Mama und Oma kümmerten sich um den Abwasch, Tante Lucie war schon zu sich rüber gegangen und hatte Lasse mitgenommen, denn bei Tante Lucie durfte Lasse immer mit ins Bett.

Oma trocknete einen Teller ab und sagte: „Sie sind wie du!"

Mama lachte und antwortete: „Ja, das Fieber hat sie gepackt! Halleluja, das wird was werden! Aber großartig, wie sie das heute gemacht haben."

„Ja", antwortete Oma, „ich fand´s prima!"

Nach dem Duschen saßen Jo und Mücke in eine Decke eingemummelt auf Mückes Bett.

„Krass, der hat gebockt wie ein echtes Wildpferd!", begann Jo von Neuem.

Mücke machte nur die Erzählung von Jo schon Angst, sie war froh, dass sie sich das nicht mit ansehen musste.

„Weißt du, als ich gegangen bin, haben Inchi und Esra sich darüber unterhalten und eine von beiden sagte, dass es richtig Ärger mit Samanthas Vater geben wird und dass Zitrönchen nicht für den Schulbetrieb geeignet sei."

Mücke setzte sich aufrecht hin und stopfte sich die Kissen in den Rücken.

„Ich glaube auch, dass er nicht für den Unterricht geeignet ist. In einer Reitschule sollen die Kinder doch auf ihm reiten lernen und nicht runterfallen."

Jo schwieg.

Mücke fragte ihre große Schwester: „Meinst du, die geben ihn weg?"

Jo zuckte mit den Schultern und sagte leise: „Ich hoffe nicht!"

Mücke kuschelte sich an ihre Schwester.

„Was war heute dein schönster Moment?", fragte Jo.

Mücke, die schon sehr sehr müde war, murmelte: „Der Galopp auf Kimba!"

Jo kicherte leise. Nun, sie konnte nicht behaupten, dass der Galopp auf Trude ihr schönster Moment war, aber Spaß gemacht hatte er trotzdem. Jo war müde, zu müde um in ihr Bett zu gehen, aber sie war glücklich und sie wusste genau, welches ihr schönster Moment an diesem Tag war.

Es war der Moment, als sie Zitrönchens Nase berühren durfte.

Als Jo und Mücke an nächsten Tag in den Stall kamen, war Zitrönchen immer noch das Gesprächsthema.

Seba, Inchi und Esra sowie zwei weitere Kinder saßen auf den Bänken im Innenhof.

Seba begrüßte die beiden als Erster und rutschte auf der Bank zur Seite, so dass noch Platz für Jo und Mücke entstand.

„Buenos Dias die Damen! Na? Habt ihr Muskelkater?"

Wie aus der Pistole geschossen logen beide: „Nein, kein bisschen!"

Inchi lachte als sie sah, wie Mücke sich deutlich verlangsamt hinsetzte.

„Nicht mal ein bisschen?", fragte sie nach und Mücke gab zu: „Gut, ein kleines bisschen!"

Alle lachten und Seba fragte Jo: „Hast dich gestern ganz schön erschrocken, oder? Als ich dich gefragt habe, ob du Zitrönchen trocken reibst?"

Jo wollte nicht schon wieder schwindeln, sie hatte ja gerade erst den Muskelkater verleugnet und antwortete: „Naja, ich war schon ein bisschen überrascht."

Das traf es zwar nicht im Geringsten, aber sie wollte sich vor den anderen auch nicht als Angsthase outen.

„Mir hat es sehr gefallen, wie du dich um ihn gekümmert hast!", lobte Seba.

Inchi ergriff das Wort: „Aber Seba, es kann doch wirklich nicht sein, dass in jeder Stunde einer runterfliegt. Und Samantha ist eine gute Reiterin!"

Seba erwiderte: „Wer sagt, das Samantha eine gute Reiterin ist? Wer sein Pferd in der Halle stehen lässt, ist ganz sicher kein guter Reiter!"

Die anderen schwiegen.

„Ich bin Greta und das ist meine Schwester Irmi", sagte eines der Mädchen, das genauso aussah, wie das andere Mädchen. Sie saßen auch auf den Bänken.

Bevor Jo oder Mücke antworten konnten, sagte Inchi:

„Das sind Jo und Mücke und sie hat mal…"

Esra unterbrach: „Sie reiten jetzt auch hier!"

Mücke grinste Esra an und Esra zwinkerte ihr zu.

„Kinder, macht mir bitte mal Zitrönchen fertig! Es ist richtig, so kann es nicht weitergehen!", unterbrach Seba plötzlich.

Dass diese Botschaft nicht nur für Jo ein erneuter Schreck war, sondern auch für die anderen, zeichnete sich in den Gesichtern ab. Seba verschwand im Stall und Inchi erhob sich und fragte in die Runde: „Wer kommt mit und hilft mir?"

Jo sprang sofort auf und antwortete: „Ich komme mit!"

Zusammen mit Inchi holte sie das Putzzeug, den Sattel und die Trense aus der Sattelkammer. Als sie vor der Box standen zögerte Inchi kurz, woraufhin Jo sich das Halfter griff, welches an der Boxentür baumelte. Ohne zu zögern öffnete sie die Tür, trat an Zitrönchen heran, klopfte ihn kurz am Hals und halfterte ihn auf.

Inchi war beeindruckt, schwieg aber, weil sie hörte, dass Seba die Stallgasse heruntergelaufen kam.

Er trug eine Longe in der Hand und hatte sich einen Reithelm aufgesetzt.

„Willst du ihn reiten?", fragte Inchi entsetzt.

Seba war jedoch so sehr mit dem Verschnallen der Longe beschäftigt, dass er Inchis Frage nicht wahrnahm und daher auch nicht antwortete.

Deshalb beantwortete Inchi sich die Frage selbst: „Doofe Frage, ich weiß! Aber warum auch nicht, schließlich ist er der Reitlehrer, ihn wird er ganz bestimmt nicht abwerfen."

„Hoffentlich", flüsterte Jo leise, ohne dass Seba oder Inchi es hörten.

Sie putzten ihn, während Seba Zitrönchen schon auftrenste und sattelte.

Jo bemerkte, dass Inchi besorgt aussah, sie hatte auf einmal drei Falten auf der Stirn, was dazu führte, dass auch Jo sich jetzt Sorgen machte. Es war kein weiterer Erwachsener auf dem Hof, was wäre, wenn Seba…, ach, darüber wollte sie lieber nicht nachdenken. Inchi hatte recht, er war der Reitlehrer, Zitrönchen würde sich bestimmt nicht trauen ihn abzuwerfen.

Seba drückte Jo die Longe und somit auch Zitrönchen in die Hand und sagte: „Kannst du ihn bitte kurz festhalten, ich brauche noch etwas!"

Dann wandte er sich an Inchi: „Kannst du bitte schon vorlaufen und die Hallentür öffnen?", woraufhin Jo ein paar Sekunden später allein mit Zitrönchen auf der Stallgasse stand.

Zitrönchen schaute Seba interessiert hinterher. Er schien auch ein bisschen aufgeregt zu sein, denn er trat mehrmals von einem Bein aufs andere.

Jo bemerkte, dass ihre Hände zitterten und auch der Schmetterling flog wieder dreifache Loopings.

Zitrönchens Kopf fuhr herum und Jo bemerkte seinen warmen Atem an ihrem Ohr. Sie hielt ganz still und fühlte, wie Zitrönchen ein- und ausatmete und seine Barthaare kitzelten sie am Hals. Sie drehte sich zu ihm um, klopfte mit einer Hand sanft an den Hals und flüsterte: „Bitte schmeiß' ihn nicht ab! Hörst du?"

Zitrönchen schnaubte kurz und warf den Kopf hoch und Jo war sich hundertprozentig sicher, dass er sie verstanden hatte.

In diesem Moment kam Seba mit einer zweiten Longe die Stallgasse entlang, übernahm Zitrönchen wortlos und lief zur Reithalle.

Als Seba mit Zitrönchen in die Halle eintrat, huschten die anderen Kinder sowie auch Jo und Inchi auf die Tribüne. Keiner wollte sich das entgehen lassen.

„Wozu braucht er zwei Leinen?", fragte Mücke.

Inchi antwortete: „Das sind Longen. Ich glaube er will ihn mit der Doppellonge bearbeiten!"

Doppellonge, Jo erinnerte sich an ein Bild in einem Buch und fragte Inchi: „Läuft er dann Zitrönchen hinterher?"

„Genau!", erwiderte Inchi und zeigte auf Seba, der sich in diesem Moment hinter Zitrönchen stellte. In der rechten und linken Hand hielt er jeweils eine Longe, die an den Seiten von Zitrönchen entlang bis zu den Trensenringen verlief. In einer Hand hielt er zusätzlich noch eine lange Gerte, die er jedoch nicht einsetzte.

„Marsch!", sagte er mit sanfter, aber bestimmter Stimme und Zitrönchen setzte sich in Bewegung.

Zitrönchens Ohren waren gespitzt nach vorn gerichtet, nur wenn Seba etwas sagte, spielten sie vor und zurück.

Seba verlängerte die Longen etwas und ließ Zitrönchen antraben. Zitrönchen zeigte sich in einer aufrechten Haltung und seine Beine flogen über den Hallenboden.

Seba lief in großen Schritten hinter ihm her.

„Wie schön er ist", flüsterte Jo.

„Ja, wenn er nicht so bockig wäre, wäre er sicher ein Traumpferd!", antwortete Inchi.

Seba ließ Zitrönchen Bögen durch die Halle laufen, mal rechts, mal links herum sowie große und kleine Kreise. Nach einer Weile parierte er ihn durch zum Schritt und ließ ihn in der Mitte der Halle anhalten. Er schnallte die Longen ab und bat Inchi, sie ihm abzunehmen. Dann stieg er auf.

Jo und Mücke hielten den Atem an. Auch die anderen verhielten sich ruhig.

Als Inchi polternd auf die Tribüne zurückkam, zischte Esra „Psssssst!" und Inchi schlich die letzten Meter auf Zehenspitzen.

Seba wirkte hoch konzentriert und auch Zitrönchen wirkte aufmerksam, aber nicht angespannt.

Nach ein paar Runden trabte Seba an und wieder hielten alle die Luft an.

Sie hörten das Knarren der Tribünentür und Oma, die zur Tür herein kam und freudig rief: „Ach, hier steckt ihr!"

Jetzt zischten alle im Chor: „Psssssst!" und Jo zeigte dabei auf Zitrönchen.

Oma gab wortlos zu verstehen, dass sie verstanden hatte und stellte sich zu den Kindern.

„Wer ist das?", flüsterte Oma Mücke ins Ohr und Mücke flüsterte zurück: „Zi – trön – chen!"

„Und warum muss man so leise sein?" Oma bemühte sich sehr leise zu sprechen.

„Weil er ein Wildpferd ist!", erwiderte Mücke.

Oma zog die Augenbrauen fast bis zum Haaransatz, nickte aber dann verständnisvoll. Sie schaute Seba und Zitrönchen zu, schwieg für ein paar Minuten und flüsterte dann erneut Mücke ins Ohr: „Der ist doch aber gar nicht wild!"

Oma hatte gerade diesen Satz beendet, als Zitrönchen aus der hinteren Ecke der Halle quietschend und buckelnd durch die Halle geschossen kam. Zitrönchen nahm wie beim letzten Mal, den Kopf zwischen die Beine und machte sich rund wie eine Kugel.

Es dauerte vielleicht zwei Sekunden länger als bei Samantha, bis Seba im Sand vor der Tribüne lag.

„Herrjeeeeh!", schrie Oma, die sofort von der Tribüne lief und Sekunden später in die Halle eintrat und zu Seba eilte.

Jo und Mücke sowie Inchi, Esra und die Zwillinge standen wie angewurzelt. Mücke hielt sich am Arm ihrer Schwester fest.

Zitrönchen bockte und quietschte durch die Bahn.

Oma hatte Seba erreicht, der sich inzwischen schon aufgesetzt hatte.

„Können Sie aufstehen Herr Alvarez-Sanchez?"

Seba nickte, erfasste trotzdem Omas Hand und stand mit ihrer Hilfe auf. Er humpelte zwei Schritte und stützte sich dann auf Omas Arm, während Zitrönchen unbeirrt im hinteren Teil der Halle weiterhin Haken schlug.

Oma schaute zur Tribüne und ohne ein Wort zu sagen, verstanden die Kinder, dass Oma Hilfe brauchte. Sie rannten von der Tribüne und betraten vorsichtig die Halle. Oma übergab Seba den Kindern, die ihn von jeder Seite stützten und versuchten ihn so aus der Halle zu führen.

Was Jo und Mücke nicht sahen war, dass Oma in einem ruhigen, aber sehr bestimmten Schritt auf Zitrönchen zulief, der bockend auf sie zugerannt kam.

„Eure Oma!", rief Esra entsetzt, woraufhin Jo und Mücke sich erschrocken umdrehten.

Oma stand wie eine Salzsäule, richtete sich auf, hob eine Hand und rief mit tiefer Stimme „Brrrrrrrrrr!" und Zitrönchen hielt an.

„Frau Dumont, bitte seien Sie vorsichtig! Das Pferd ist unberechenbar!", stöhnte Seba. Er hatte eindeutig Schmerzen und war nicht in der Lage Oma zur Hilfe zu eilen.

Aber anscheinend brauchte Oma keine Hilfe. Sie ging zwei Schritte auf Zitrönchen zu, fasste ihn ruhig an den Zügeln und führte ihn, ohne ein Wort zu sagen, an den staunenden Gesichtern vorbei aus der Halle.

Die Kinder folgten mit Seba, den sie im Innenhof erst einmal auf eine Bank setzten.

„Ich schaue nach Oma, ja?", sagte Jo zu Seba und lief los.

Oma hatte Zitrönchen in die Box geführt und begann den Sattelgurt zu lösen und die Trense abzuschnallen.

Jo sagte kein Wort und Oma auch nicht.

Zitrönchen schnaubte Jo entgegen. Diesmal zitterte er nicht, war aber mindestens genauso verschwitzt, wie am Tag zuvor.

Jo nahm Oma das Sattelzeug ab und brachte es in die Sattelkammer.

Als sie zurück lief, kam Oma ihr schon entgegen: „Ich kümmere mich jetzt um Herrn Alvarez-Sanchez, ich glaube das Pferd ist soweit versorgt."

Jo erwiderte: „Gut, ich reibe ihn noch mit Stroh ab! Das habe ich gestern auch gemacht!"

„Kommt nicht in Frage!", antwortete Oma mit ernster Stimme.

„Das Pferd ist gefährlich!"

„Ist es nicht!", rief Jo Oma hinterher, die schon durch die Stalltür zu Seba eilte.

„Jo! Höre, was ich sage!" rief Oma ohne sich noch einmal umzudrehen.

Jo lief Oma hinterher zu Seba.

„Aber er wird sonst krank!" Doch Oma hörte ihr nicht mehr zu.

Esra und Inchi hatten Seba schon mit Wasser versorgt und Inchi entfernte mit einem Handtuch den Sand von Sebas Rücken.

„Ach, das wird schon wieder!" hörte Jo Seba sagen. „Ich werde nicht jünger", lachte er, „ich glaube, es nichts gebrochen. Das wird einen ordentlichen blauen Fleck an meinem Hintern geben!"

Jo war froh, dass Seba schon wieder Witze machte.

Oma bot an, Seba trotzdem zum Arzt zu fahren, vorsichtshalber, aber Seba schüttelte den Kopf.

„Was uns nicht umbringt, macht uns stark!", sagte er zu Oma.

„Ein Kaffee wäre vielleicht jetzt ganz gut", bat er Oma, die dann sofort in die Reiterstube lief.

„Jo, ist Zitrönchen versorgt?" Jo nickte und sagte leise: „Aber Oma hat mir nicht erlaubt ihn abzureiben und er ist so nass!"

Seba schaute Inchi und Esra an, die sofort aufsprangen, um Zitrönchen abzureiben.

Jo sah ihnen traurig hinterher, wie gern hätte sie das übernommen.

Oma kam mit einer großen Tasse Kaffee zurück und erkundigte sich erneut nach Sebas Befinden.

„Es ist alles in Ordnung Frau Dumont!" Er lächelte und Oma antwortete: „Ich habe eine große Schüssel Salat mitgebracht und Hackbällchen! Ich glaube, das können wir jetzt alle vertragen!"

Oma und die anderen Kinder stellten Tische und Bänke zusammen und halfen Oma beim Tisch decken.

Jo schlich sich zurück in die Stallgasse, um noch einmal nach Zitrönchen zu sehen.

Auf der Stallgasse traf sie auf Esra und Inchi. „Meine Oma hat Mittagessen mitgebracht! Das reicht für alle!"

Inchi und Esra hopsten begeistert die Stallgasse herunter, die letzten Meter rannten sie, um sich schnell einen guten Platz zu ergattern.

Jo blickte ans Ende der Stallgasse, außer dem Gemümmel und Schnauben der Pferde war nichts zu hören. Jo lief auf Zehenspitzen bis ans Ende der Gasse und schaute durch die Boxenstäbe in Zitrönchens Box. Zitrönchen steckte seine Nase Jo entgegen und schnaubte leise.

„Warum machst du sowas?", flüsterte Jo, als ob sie eine Antwort erwartete. Aber Zitrönchen antwortete ihr nicht. Er senkte den Kopf und wandte sich wieder dem Heu zu.

Jo lief zurück, Oma sollte nicht mitbekommen, dass sie nicht da war.

Als sie aus der Stalltür in den Innenhof lief, saßen alle schon um den Tisch herum und Oma füllte den Salat auf die Teller. Omas kurzer Blick verriet Jo, dass Oma ganz genau wusste, wo sie gerade war. Aber sie sagte nichts.

Jo setzte sich an den Tisch neben Seba.

Seba genoss sichtlich die gemeinsame Runde und erzählte den Kindern, wie oft er schon vom Pferd gefallen war. „Sieben Mal!", betonte er und hob dabei den Zeigefinger, „Sieben Mal muss ein Reiter runterfallen, bevor er ein guter Reiter ist!"

Oma schüttelte den Kopf und lachte.

Mücke fragte Oma: „Wie oft bist du runtergefallen, als du noch geritten bist?" und Oma antwortete: „Sieben Mal!"

Oma lachte, „Aber bitte, dass müsst ihr nicht nachmachen!" Dabei zwinkerte sie Jo und Mücke zu.

Die Beiden blickten stolz zu Oma herüber, denn sie konnten Oma somit verdient einen „guten Reiter" nennen.

Am Abend berichteten Jo und Mücke, Mama und Tante Lucie von Sebas Sturz und wie mutig sich Oma in den Weg stellte, um Zitrönchen zu stoppen.

„Na, das war aber bestimmt nicht ganz ungefährlich!", sagte Mama, ihre Stimme klang besorgt.

„Hattest du keine Angst Oma?", fragte Mücke.

„Nein! Ich habe nur gedacht, er muss anhalten! Er muss jetzt anhalten! Und er hielt an!"

Dann wandte Oma sich an Jo. „Herr Alvarez-Sanchez glaubt an dieses Pferd. Mir fällt das schwer, nach dem was ich heute gesehen habe. Aber ich kenne Herrn Alvarez-

Sanchez schon viele viele Jahre und schätze seinen Pferde-verstand sehr. Er hat so einen siebten Sinn!"

„In der Box ist er ein Pferd, wie jedes andere auch", ant-worte Jo.

Oma nickte, „Herr Alvarez-Sanchez hat mir auch erzählt, dass Zitrönchen eigentlich ein freundliches Pferd sei. Umso unverständlicher dann dieses Verhalten beim Reiten, denn das war alles andere als freundlich."

„Wenn ich wüsste, warum er das macht…", sprach Jo leise.

„Ich glaube", sagte Oma, „weil das inzwischen alle von ihm erwarten!"

Jo antwortete darauf nicht, sie grübelte, sie musste erst einmal über Omas Worte nachdenken.

Was genau meinte Oma damit?

Große Angst vor Zitrönchen

In den folgenden Tagen sprach sich schnell herum, dass Zitrönchen Seba in den Sand gesetzt hatte. Das wäre auch nicht zu verheimlichen gewesen, denn Seba humpelte Tage später immer noch, obwohl er jedem, der fragte, versicherte, dass es ihm gut ginge und alles nur halb so schlimm sei.

Er erzählte den besorgten Eltern, die sich erkundigten, dass es seine Schuld gewesen sei. Er hätte geträumt und nicht aufgepasst, aber so richtig glauben wollten das die Eltern nicht.

Seba setzte Zitrönchen in den nächsten Tagen nicht im Schulbetrieb ein, dafür arbeitete er zwei Mal am Tag mit ihm in der Doppellonge.

Wann immer Jo konnte, schaute sie zu und sie glaubte erkennen zu können, dass Zitrönchen von Mal zu Mal besser wurde. Er war brav und hörte aufmerksam auf die Kommandos von Seba. In diesen Trainingsstunden bockte er kein einziges Mal.

Oma leistete Jo ab und zu Gesellschaft beim Zuschauen, aber Oma verlor kaum ein Wort über Zitrönchen seit dem Sturz von Seba.

Jo beließ es dabei, sie glaubte fest daran, dass Oma von Zitrönchen nicht viel hielt und vermied somit lieber jegliche Diskussion.

Jo und Mücke halfen jeden Tag im Stall und durften daher auch jeden Tag reiten. Inzwischen konnten sie ihre Pferde auch ohne Hilfe satteln und trensen, nur beim Auskratzen der Hufe musste Jo ihrer kleinen Schwester manchmal helfen.

Ein paar Tage später verkündete Seba kurz vor der Reitstunde: „Ich denke", er machte eine kurze Pause, „ich denke Zitrönchen ist soweit, dass er wieder mitgehen kann. Esra, du wirst ihn heute reiten!"

Esra wich in diesem Moment jegliche Farbe aus dem Gesicht. Sie stotterte und konnte kaum einen Satz vollständig hervorbringen.

„A-a-aaber, ich kann das nicht!"

„Was kannst du nicht?", fragte Seba gereizt.

„I-i-ich kann Zi-zi-zitrönchen nicht reiten!" Esras Stimme zitterte sowie der Rest von Esra auch.

„Blödsinn! Ich habe ihn jetzt zehn Tage lang gearbeitet. Zweimal am Tag und er läuft sehr gut! Er ist kein schlechtes Pferd!"

Esra brach in Tränen aus. Die anderen, die um sie herum standen, sagten kein Wort. Jo und Mücke auch nicht.

„Du reitest!", bestimmte Seba.

„Ich longiere ihn jetzt noch einmal vorher ab und dann reitest du! Ich würde dich nicht raufsetzen, wenn ich nicht wüsste, dass du ihn reiten kannst!", erklärte Seba, schnappte sich seine Handschuhe, die auf dem Tisch lagen und verschwand im Stall.

„Ich würde mir jetzt in die Hosen machen!", sagte Inchi, woraufhin eine der Zwillinge Inchi seitlich in die Rippen boxte.

„Sag doch einfach nein!", meinte die andere der Zwillinge. Jo konnte sie bis heute noch nicht auseinander halten, so ähnlich waren sie sich.

Esra schluchzte laut auf: „Dann darf ich hier vielleicht nie wieder reiten!"

Nun meldete sich Mücke zu Wort: „Ach, das glaube ich nicht! Aber ich glaube auch, dass du gut reiten kannst und das schaffen kannst!"

Jo sah Mücke dankbar an, das waren jetzt die richtigen Worte.

Jo fügte hinzu: „Genau Esra, denk nicht daran, dass du runterfällst!"

Aber Esras Tränen rollten weiter die Wangen herunter. Trotzdem griff sie langsam nach ihrem Helm und schlurfte in den Stall.

Im Stall war es im Vergleich zu den anderen Tagen, ausgesprochen ruhig. Jeder lief stillschweigend über die Stallgasse und auch beim Putzen waren nur vereinzelte Worte wie „Gib Huf!" oder ein kurzes „Braaav!" zu hören.

Jo, die wieder einmal Trude überzeugen musste aus der Box heraus zu kommen, hörte Esra ein paar Boxen weiter schniefen. Sie hörte auch Sebas Stimme, die angespannt klang, aber er versuchte Esra zu beruhigen.

Er half ihr Zitrönchen zu satteln und zu trensen und als sie die Stallgasse entlang liefen, fiel Seba ein: „Moment, ich hole noch die Longe! Warte hier auf mich!", dann ließ er Esra stehen.

Esra, die Jo in Trudes Box entdeckte, fragte: „Jo, kannst du Zitrönchen eben festhalten, bitte? Ich habe die Handschuhe vergessen."

Jo übernahm Zitrönchen auf der Stallgasse und blickte ihn an. In den letzten Tagen war sie wenig bei ihm gewesen, aber das lag daran, dass er für den Reitunterricht nicht eingesetzt wurde.

„Wenn du mich verstehst, bitte bitte, wirf Esra nicht ab!", dann strich sie ihm über die Stirn und Zitrönchen senkte leicht seinen Kopf zu Jo herunter.

„Bitte!", flüsterte sie, „sei brav!"

„Das wird er sein!", hörte sie eine tiefe Stimme sagen. Es war Seba, der direkt hinter ihr stand, sie hatte ihn gar nicht kommen hören.

Er nahm Jo die Zügel ab und da kam auch Esra schon wieder mit ihren Handschuhen zurück. Ohne ein Wort liefen sie zur Halle.

Jo wandte sich Trude zu, die absolut tiefenentspannt in der Box stand.

„Kannst du ihm nicht mal sagen, dass er nett sein soll?", fragte sie Trude, doch Trude antwortete nicht.

„Ich verstehe das Problem nicht, das er hat", sprach Jo weiter und Trude zuckte mit dem Ohr.

„Vielleicht kannst du das mal auf Pferdisch klären?"

Aber Trude reagierte nicht.

Eine halbe Stunde später waren alle anderen Pferde gesattelt. Gespannt warteten die Kinder auf ein Zeichen aus der Halle, was dann auch kam.

„Ihr könnt kommen!", rief Seba vom Hallentor aus und der Trupp setzte sich in Bewegung.

Als Jo in die Halle kam saß Esra schon auf Zitrönchen. Sie lächelte kurz und berichtete: „Ich bin schon an der Longe galoppiert, er war ganz ganz lieb!"

Jos Schmetterling machte einen Freudenhüpfer. Hatte Zitrönchen sie vielleicht doch verstanden?

Nachdem alle aufgestiegen waren und eine Abteilung gebildet hatten, kommandierte Seba Esra an die Tete.

Esra hatte inzwischen ein bisschen Mut gefasst und setzte sich an die Spitze.

Zitrönchen wirkte entspannt, fand Jo.

Nach ein paar Minuten ließ Seba die Abteilung antraben, alle bemühten sich sehr, keiner wollte irgendwie aus der Reihe tanzen. Jeder blickte auf Zitrönchen am Anfang der Abteilung. Sie ritten Schlangenlinien durch die Bahn und Zitrönchen bog sich geschmeidig in den Kurven.

Dann ließ Seba alle zum Schritt durchparieren und fragte Esra: „Willst du galoppieren? Sonst hörst du an dieser Stelle auf, er war brav und damit lassen wir es für heute vielleicht gut sein!"

Doch Esra erwiderte: „Nein, wir können galoppieren!"

Jo bewunderte Esra in diesem Moment sehr, sie war sich nicht sicher, ob sie weiter geritten wäre.

Seba schien sichtlich erfreut über Esras Antwort.

„Prima! Dann mal los!"

Und dann ging es los. Als hätte Zitrönchen verstanden, dass Seba den Start frei gab, formte er sich mit einem lauten Grunzen zu einer überdimensionalen Bowlingkugel und schoss durch die Bahn. Er schlug aus und sprang hoch in die Luft und Esra flog aus dem Sattel, landete jedoch kurz darauf wieder in Zitrönchens Sattel, zum Erstaunen aller.

Seba rief laut: „Haaaaaaalt!" und alle standen still!

Auch Zitrönchen!

Alle Augen waren auf Esra und Zitrönchen geritten.

Esra hing seitlich am Hals von Zitrönchen. Sie hielt sich fest in der Mähne.

Jo, die ihr am nächsten war, drückte die Schenkel in Trudes Bauch und als ob Trude verstanden hätte, was Jo damit erreichen wollte, stellte sie sich Zitrönchen in den Weg.

Esra zog sich hoch und rutschte zurück in den Sattel, griff die Zügel und suchte die Steigbügel mit ihren Fußspitzen. Esra schaute in die erschrockenen Gesichter der anderen.

Seba stand genauso erstaunt da und sagte kein Wort.

„Oben geblieben!", rief sie und lachte und alle anderen entspannten sich und riefen ihr zu, wie gut sie das gemacht hatte.

Seba ging mit der Longe in der Hand auf Esra zu, verschnallte sie und sagte zu Esra: „Halleluja! Ich hatte einen Herzstillstand! Super gemacht!"

Er lief mit Esra und Zitrönchen eine Runde durch die Halle, die anderen sortierten sich wieder ein. Nach der Runde hielt er an und bat Esra abzusitzen.

„Wir wollen es dabei belassen! Dieses Mal haben wir gewonnen!"

Esra stieg ab und strahlte über das ganze Gesicht! Sie klopfte und lobte Zitrönchen kräftig am Hals und führte ihn aus der Halle.

„Die Damen!", rief Seba dem Rest der Gruppe zu, „Wollen wir noch einmal galoppieren?"

Natürlich wollten alle noch einmal galoppieren.

Nach der Stunde und nachdem alle ihre Pferde versorgt hatten, trafen sich die Kinder im Innenhof. Sie lobten Esra und wollten von ihr wissen, wie sie sich auf Zitrönchen gehalten hat.

„Ich habe nur gedacht, oben bleiben! Ich muss oben bleiben! Und ich bin oben geblieben!"

In diesem Moment tauchte Samantha am Tor der Reitanlage auf, zusammen mit einem älteren Herrn.

„Oh je, da kommt Samantha mit ihrem Vater!", sagte eine der Zwillinge.

Samantha trug Jeans, keine Reithose, was bedeutete, dass sie nicht zum Reiten kam.

„Ich möchte zu Herrn Alvarez-Sanchez!", verkündete Samanthas Vater.

„Ich bin hier!", rief Seba, der in der Stalltür stand.

Samantha, deren Haut gebräunt war und ihre Haare deutlich heller als sonst wirken ließ, grinste breit.

„Herr Alvarez-Sanchez!", dabei lief Samanthas Vater eilig auf Seba zu und Seba trat in den Innenhof.

„Buenos Dias Herr Wüstenhagen!" Er streckte Samanthas Vater die Hand hin, doch dieser nahm sie nicht an.

„Herr Alvarez-Sanchez, ich habe es vor unserem Urlaub nicht mehr geschafft, aber jetzt wo wir wieder zurück sind, möchte ich mich mit Ihnen über dieses gemeingefährliche Pferd unterhalten."

Seba runzelte die Stirn und wandte sich mit einer festen Stimme an Herrn Wüstenhagen: „Dann wird unsere Unterhaltung sehr kurz sein, denn hier gibt es keine gemeingefährlichen Pferde!"

Jo und Inchis Blicke trafen sich und nun war es Inchi die breit grinste. Das fiel auch Samantha auf, die Inchi einen bösen Blick zuwarf, was aber nur dazu führte, dass Inchi jetzt noch breiter grinste.

„Meine Tochter hat mir erzählt, dass in jeder Stunde ein Kind von diesem Pferd fällt!" Die Stimme von Herrn Wüstenhagen klang erbost.

„Nun", antwortete Seba gelassen, „Samantha ist das letzte Kind, was von ihm runtergefallen ist."
Mücke flüsterte Jo ins Ohr: „Aber Seba ist doch nach Samantha runtergefallen" und Jo flüsterte zurück, „Aber er ist kein Kind. Der Vater redet von den Kindern."

Wo er Recht hat, hat er Recht, dachte Mücke und freute sich über die clevere Taktik von Seba.

Samantha lief rot an und Herr Wüstenhagen wurde jetzt deutlich lauter.

„Was wollen sie damit sagen? Meine Tochter ist die beste Reiterin hier im Stall!"

„Nun", Seba ließ sich nicht aus der Ruhe bringen, „wer sein Pferd in der Halle stehen lässt, erweist sich nicht als sehr verantwortungsvoll. Nicht nur, dass Samantha ihr Pferd nicht versorgt hat, sie hat auch damit ihre Kameraden in der Gruppe gefährdet."

Jetzt lief auch Herr Wüstenhagen rot an. Er drehte sich zu Samantha um: „Hast du das Pferd allein gelassen?"

Samantha kaute nervös auf ihrer Unterlippe, doch bevor sie antworten konnte, antwortete Inchi.

„Ja, hat sie! Jo hat Zitrönchen versorgt, nachdem Seba ihn eingefangen hatte!"

Jo erschrak, als Herr Wüstenhagen und Samantha ihr einen düsteren Blick zuwarfen.

Herr Wüstenhagen holte tief Luft: „Herr Alvarez-Sanchez, ich begrüße das Verhalten meiner Tochter nicht. Aber ich verbiete Ihnen, gemeingefährliche Pferde im Schulunterricht einzusetzen, die die Kinder abwerfen. Das ist fahrlässige Körperverletzung und das werde ich zur Anzeige bringen, wenn das noch einmal vorkommt." Herr Wüstenhagen schnaubte.

Seba stand gelassen, seitlich an die Wand gelehnt und erwiderte: „Herr Wüstenhagen, dieses Gespräch führt zu nichts. Wie ich eingangs erwähnte, gibt es hier keine gemeingefährlichen Pferde! Wenn Ihre Tochter hier reiten möchte, muss sie das ihr zugeteilte Pferd vor und nach der Stunde versorgen. Ein Wunschkonzert wird es nicht geben, sie wird das Pferd reiten müssen, was sie zugeteilt bekommt oder sie wird an diesem Tag eben nicht reiten. Das sind unsere Regeln!"

Herr Wüstenhagen erzürnte sich sichtlich mehr: „Zufällig ist der Leiter des polizeilichen Abschnitts hier ein Golfkollege und ihr Verpächter, der Herr Schmidtbauer, ist auch ein Golfkollege. Was sagen sie nun dazu? Herr Alvarez-Sanchez?"

„Viel Spaß beim Golfspielen!", antwortete Seba, drehte sich um und ließ Herrn Wüstenhagen stehen.

Dieser packte Samantha am Arm und zog sie auf dem Weg zum Tor hinter sich her. Er schimpfte wie ein Rohrspatz, als er das Tor ins Schloss krachen ließ.

Als die beiden außer Sichtweite waren, stürmten die Kinder in den Stall. Sie fanden Seba beim Flicken eines Stallhalfters auf der Stallgasse.

Er sah ernst aus und während die anderen Kinder um ihn herumstanden und ihn lobten, dass er es Herrn Wüstenhagen aber so richtig gezeigt hätte, erkannte Jo, dass Seba nicht so glücklich darüber war.

Sie lief an den anderen Kindern und Seba vorbei und schlich sich zu Zitrönchen. Zitrönchen trat an die Gitterstäbe heran, als er Jo bemerkte.

„Es gab Ärger", berichtete Jo. „Du solltest jetzt vielleicht erst einmal brav sein, bis Gras über die Sache gewachsen ist."

Zitrönchen schnaubte durch die Gitterstäbe, senkte dann den Kopf und steckte seine Nase in einen Haufen Heu. Es war so, als würde er die ganze Aufregung, die um ihn entstand, nicht verstehen.

Wie auch, dachte Jo, er ist ein Pferd. „Ich muss versuchen, ihm das auf Pferdisch zu erklären", flüsterte Jo. Dann lief sie los, schnappte sich Mücke und sie machten sich zusammen mit Lasse auf den Weg nach Hause.

Zu Hause stürmte Jo zu Oma, die im Garten saß und gerade über ihrem Buch eingeschlafen war.

„Wie spricht man mit einem Pferd?" Oma schreckte aus dem Schlaf hoch und das Buch fiel auf den Boden.

„Was ist passiert?", fragte Oma verwirrt.

„Nichts ist passiert! Esra ist heute nicht von Zitrönchen gefallen!", erklärte Mücke, die sich neben Oma auf einen Gartenstuhl setzte.

„Gut! Das ist sehr gut!", antwortete Oma und sortierte sich.

Jo hob Omas Buch auf und wiederholte: „Oma, bitte, ich muss wissen, wie man Pferdisch spricht."

Oma sah Jo erstaunt an. „Pferdisch?"

Mücke lachte und fügte hinzu: „Jo möchte wissen, wie sie Zitrönchen sagen kann, dass er nicht mehr buckeln darf! So, dass er das versteht."

Oma setzte sich aufrecht hin, sie verstand jetzt: „Ihr wollt wissen, wie man mit einem Pferd kommuniziert?"

Jo und Mücke nickten.

„Tja, wenn das so einfach wäre. Es gibt Menschen, die das gut können, aber es gibt sehr viele, die das nicht können und es gibt auch Menschen, die das gar nicht wollen. Ich glaube, dass man nicht so allgemein Pferdisch lernen kann, denn jedes Pferd spricht sein eigenes Pferdisch."

Jo war enttäuscht: „Es gibt keine Sprache, die alle verstehen?"

„Nein", Oma schüttelte den Kopf, „du musst herausfinden, wie dein Pferd spricht, wie es sich zeigt, wie es auf dich wirkt. Du musst sein Verhalten studieren, was bedeutet, dass man viel Zeit mit seinem Pferd verbringen muss. Du musst herausfinden, was es mag und was es nicht mag."

Mücke unterbrach, „Kimba mag schnellen Galopp!", rief sie erfreut.

„Zum Beispiel", antwortete Oma, „Trude mag langsamen Galopp!"

„Und Zitrönchen mag Bocksprünge?", fragte Jo.

Oma wiegte den Kopf von rechts nach links. „Hmmm, das glaube ich nicht. Es gibt sicherlich auch Pferde, die von ihren Reitern wirklich die Nase voll haben und sie deswegen absetzen. Aber das passt nicht auf Zitrönchen. Ich bin mir noch nicht sicher, was Zitrönchens Problem ist.
Pferde sind Herdentiere, allerdings sollte der Mensch das Leittier sein. Im Moment bestimmt aber Zitrönchen, wie lange der Reiter drauf bleibt, versteht ihr?"

Jo und Mücke runzelten die Stirn.

Oma fuhr fort: „Das bedeutet aber nicht, dass man dem Pferd seinen Willen aufzwingen darf, nein, im Gegenteil. Das Pferd muss dir vertrauen und dich respektieren. Das ist der Grundstein, um mit ihm Pferdisch zu sprechen!"

„Aber wie gewinne ich das Vertrauen?", fragte Jo und Oma erwiderte: „Er muss wissen, dass er sich auf dich verlassen kann, du musst in deinen Entscheidungen konsequent sein. Pferde merken sowas ganz schnell. Sie spüren die Angst. Dein Befehl wirkt dann unsicher und die Pferde spüren es, wenn du zögerst. Dann wissen sie nicht, was sie tun sollen."

Jo dachte nach, dann fragte sie noch einmal: „Aber ich verstehe nicht, warum Zitrönchen buckelt. Keiner will, dass er buckelt. Das ist doch ein eindeutiger Befehl!"

„Was glaubst du, was ein Reiter auf Zitrönchen auf jeden Fall denkt?", fragte Oma zurück.

Mücke antwortete schneller : „Bloß nicht runterfallen!"

„Genau! Er denkt ans Runterfallen!", antwortete Oma.

„Denkst du das auf Trude auch?", fragte Oma Jo.

Das war es, dachte Jo. Nein, sie dachte auf Trude nicht eine Sekunde daran, runterzufallen!

„Ich glaube Zitrönchen macht nur das, was alle von ihm erwarten! Er hat die Menschen so verstanden", beendete Oma das Gespräch, strich Jo über den Kopf und ging ins Haus.

Jo und Mücke sahen sich an. Mücke zog die Augenbrauen hoch. „Denkst du, was ich denke?", fragte sie ihre große Schwester.

„Ja", antwortete Jo, „ich denke, was du denkst!"
Dann standen sie auf und folgten Oma ins Haus.

Der Teufel schläft nie

Am nächsten Tag lagen Jo und Mücke mit Inchi, Esra und den Zwillingen auf der kleinen Wiese im Innenhof des Reitstalls in der Sonne. Heute wollte Seba für das Mittagessen sorgen.

Er war schon seit einer Stunde in der Küche verschwunden, als Inchi maulte: „Ich habe Hunger! Wann gibt es denn endlich was zu essen!"

Die anderen lachten, jedoch erstickte das Lachen umgehend, als Samantha durch das Tor lief. Zum Reiten war sie viel zu früh.

Sie stolzierte erhobenen Hauptes auf sie zu und fragte: „Wo ist Seba? Ich möchte ihn sprechen. Mein Vater kauft mir ein Pferd, ein schwarzes!"

„Rappe nennt man das!", erwiderte Mücke spontan, während es den anderen die Sprache verschlagen hatte.

Unbeeindruckt fuhr Samantha fort: „Meine Tante züchtet Pferde und wir fahren am Wochenende hin und er kauft mir eins!" Dann drehte sie sich um und lief in den Stall.

Die anderen sahen sich an. „Booaaah, die hat es vielleicht gut, die bekommt ein eigenes Pferd!", stöhnte Inchi, ihre Laune war bereits im Keller, weil der Hunger sie fast um den Verstand brachte und nun noch das!

„Gestern veranstaltete der Vater hier noch ein riesiges Theater und heute kauft er der ein Pferd!", knurrte Inchi weiter.

„Wahrscheinlich will er seine Ruhe haben!", lachte Esra.

„Wenn Samantha mir den ganzen Tag auf den Senkel gehen würde, würde ich ihr auch ein Pferd kaufen."

Die anderen lachten und auch Inchi zuckten rechts und links die Mundwinkel.

„Sie bekommt auch noch ein schwarzes Pferd! Das sieht bestimmt toll aus!", sagte Inchi, woraufhin Mücke noch einmal erklärte: „Sie bekommt einen Rappen!"

„Ich wollte immer einen schwarzen Hengst!", erwiderte Inchi. „Das weiß sie, ich habe ihr das mal erzählt. Das ist echt gemein!" Inchis Mundwinkel hatten sich inzwischen wieder nach unten verzogen.

„Wenn ich einmal ein Pferd bekomme, dann nehme ich ein dunkelbraunes Pferd", stellte eine der Zwillinge fest.

„Einen Braunen!", ergänzte Mücke und verdrehte die Augen.

„Ich nehme ein weißes!", rief Esra begeistert und Mücke ließ sich zurück ins Gras fallen, hielt die Hände vor die Stirn und murmelte: „Einen Schimmel!"

„Genau!", erwiderte Esra, „Mann! Bist du schlau! Du Dreikäsehoch!", dann zwickte sie Mücke in die Rippen und Mücke quietschte.

„Ich möchte ein goldenes Pferd", sagte Jo leise, aber Mücke schoss von der Waagerechten in die Senkrechte.

„Jo, das ist ein Isabell oder besser ein Goldisabell, wie Zitrönchen! Manche sagen auch Palomino dazu", erklärte sie ausführlich.

„Wie viele Farben gibt es denn?", fragte eine der Zwillinge.

Mücke zuckte mit den Schultern. „Keine Ahnung, viele! Ich konnte mir das nur merken, weil Mama mir mal einen Satz verraten hat. Als sie zwölf war, musste sie sich für das Reitabzeichen eine Eselsbrücke bauen und so entstand dieser Satz."

Inchi nörgelte: „Nun mach es nicht so spannend! Wie geht dieser Satz?"

Alle schauten gespannt auf Mücke.

„Braune Rappen jagen Füchse, die schimmelig sind. Und am Himmel fliegen Falben, die nicht schecken, dass sie Isabellen sind!"

Nach nur ein paar Sekunden brachen alle in ein großes Gelächter aus. In dem Moment kam Seba mit einer riesigen Pfanne aus der Küche und rief: „Todos a comer!", was so viel heißt, wie „Das Essen ist fertig!"

Inchi sprang auf. „Was gibt es?" und Seba antwortete: „Paella für alle, was denn sonst?"

Als alle sich an den Tisch gesetzt hatten, kam Samantha aus dem Stall zurück.

„Ah, Seba!", rief sie und es klang tatsächlich angehaucht freundlich, „Ich soll dir Bescheid sagen, mein Vater möchte die Außenbox mieten. Am Wochenende kauft er mir ein schwarzes Pferd."

„Einen Rappen!", antwortete Seba gelassen und Mücke grinste.

„Setz dich erst einmal hin und erzähle in Ruhe!", forderte Seba Samantha auf und hielt ihr einen Teller gefüllt mit Paella hin.

Samantha war sichtlich verwundert über diese Einladung, trotzdem nahm sie den Teller entgegen und setzte sich neben Inchi.

Inchi verdrehte die Augen, woraufhin Seba ihr einen ernsten Blick zuwarf.

„Hier ist jeder willkommen!", erklärte er, allerdings waren dabei seine Augen auf Inchi gerichtet.

„Auch dein Pferd", fuhr er fort und sah dabei Samantha an.

„Kennst du das Pferd schon?", fragte Seba.

Samantha schleuderte ihren Zopf nach hinten, der dabei Inchis Gabel mitsamt dem Happen Paella drauf streifte, woraufhin nun der gelbe Reis in Samanthas Haaren klebte. Doch Samantha bemerkte das nicht. Sie antwortete in einem schnippischen Ton: „Meine Tante züchtet schwarze Pferde", dann beugte sie sich etwas nach vorne, wobei der Zopf erneut nach vorn fiel und wieder über Inchis Gabel fegte.

Inchi starrte angewidert auf ihre Gabel.

„Die Pferde meiner Tante sind hochtalentiert, alles Gewinner!", fuhr Samantha fort.

„Aha, aha!", sagte Seba und aß ohne hoch zu blicken seine Paella.

Erstaunt darüber, dass er sonst nichts weiter zu sagen hatte, setzte Samantha sich wieder aufrecht hin und schleuderte erneut den Zopf in den Nacken. Inchi war dieses Mal aber schneller und brachte ihre Gabel rechtzeitig in Sicherheit.

„Ich kann mir das beste Pferd im Stall aussuchen!", erklärte Samantha weiter.

Jo starrte Samantha an, aber auch Mücke, Esra und die Zwillinge vergaßen zu kauen und blickten auf Samantha.

Nur Inchi nicht, die zog gerade ein langes Haar aus ihrer Paella.

„Iiiihhh, ich habe deine Haare in meinem Essen!", quietschte sie und hielt Samantha das Haar vor die Nase.

„Das kann gar nicht sein!", erwiderte Samantha kurz und wandte sich erneut an Seba.

„Mein Vater möchte die Außenbox, er wird dich noch einmal anrufen."

Seba aß genüsslich seine Paella. „Die Außenbox ist nicht zu vermieten! Das ist Panchitos Box."

Panchito war Sebas Pferd, er war schon dreiundzwanzig Jahre alt.

„Dann musst du sie halt räumen!", erwiderte Samantha.

Mücke, die auf der anderen Seite von Inchi saß, ließ vor Schreck die Gabel fallen und der Reis flog Inchi auf den Schoß.

Inchi quietschte erneut auf und begann den Reis von ihrer Hose zu popeln.

„Liebe Samantha", Sebas Stimme klang sehr ernst, „sag deinem Vater bitte, er möge mich anrufen. Ich werde das mit ihm klären."

„Wunderbar!", antwortete Samantha siegessicher, stand auf, ließ ihren Teller stehen, verabschiedete sich ausgesprochen höflich und stolzierte zum Tor hinaus. Die anderen sahen ihr nach.

Seba kaute entspannt an einem Hühnerbein.

„Bekommt sie die Box?", wollte Inchi wissen.

Doch Seba antwortete darauf nicht, stattdessen fragte er in die Runde: „Wer reitet heute freiwillig Zitrönchen?"

Die Paella blieb in den Hälsen der Mädels stecken, in jedem von ihnen. Mücke rutschte auf der Bank ein kleines Stückchen abwärts, was auch Seba bemerkte.

„Mücke nicht! Aber alle anderen!"

Mücke blickte rüber zu Jo und Jo erwiderte den Blick. Mücke schüttelte den Kopf, als Zeichen für Jo, dass sie sich auf gar keinen Fall melden sollte.

Jo, die noch darüber nachdachte, ob Seba ihr das tatsächlich schon zutraute, hob vorsichtig die Hand und fragte leise: „Darf ich?"

In diesem Moment warf Inchi ihr Glas um und nun tropfte das Wasser, vom Tisch auf ihre Hose.

„Jo, bist du irre?", rief sie.

Jo sah unsicher zu Seba rüber. Der blickte Jo für einen Moment lang an und antwortete dann: „Hmmmm, ich glaube, das könnte gehen."

Jo fühlte, wie der Schmetterling in ihr zappelte, jedoch flog der keine Freudenloopings, sondern bot ihr eine Flatter-Zitterattacke, die die gerade verspeiste Paella nicht ganz ungefährlich in Wallung brachte.

„Dir gefällt dieses Pferd, stimmt´s?", fragte Seba, doch Jo konnte nicht sprechen und nickte daher nur kurz.

„Gut, wir machen das so. Ich longiere ihn wieder so wie gestern, dann steigst du auf. Ich halte dich an der Longe und wir schauen, wie es klappt. Wenn es funktioniert, kannst du in der Stunde mitreiten."

Jo sprach kein Wort, denn der Schmetterling regierte ihren Magen.

„Aber nun lasst uns erst einmal ordentlich essen! Ich habe nämlich auch noch eine Überraschung für euch!"

Die anderen erholten sich rasch von dem Schrecken, nur an Jo sausten die Worte von Seba vorbei.

Sie sah Bilder vor ihren Augen, wie Zitrönchen durch die Halle buckelte und sie in einem hohen Bogen von ihm runterflog.

Aber sie nahm sich auch vor, keine Angst zu zeigen, obwohl der Schmetterling dafür sorgte, dass sie sie hatte.

„Ich habe eine Überraschung für die letzte Ferienwoche!", verkündete Seba, holte tief Luft und fuhr fort:

„In dieser Woche machen wir alle gemeinsam einen Ausritt. Einen großen, einen ganz langen Ausritt. Wir fragen eure Eltern, ob sie im Wald zu einem Picknick kommen. Wir machen eine Pause und reiten dann wieder zurück."
Er holte tief Luft und sah in die verdutzten Gesichter: „Wie findet ihr das?"

Bis auf Jo brachen alle in Jubelschreie aus, Jo, die nur die Hälfte mitbekommen hatte, bemühte sich trotzdem um ein Lächeln.

„Darf ich auch mit?", fragte Mücke.

„Natürlich! Du kommst mit!", antwortete Seba und zwinkerte Mücke zu.

Vor lauter Freude schnatterten jetzt alle durcheinander, Seba lachte und lehnte sich auf der Bank zurück.

In diesem Moment kam der Postbote auf den Hof und überreichte Seba einen Brief.

Seba schaute auf den Absender und rief freudig: „Aaah, ein Brief von meiner Schwester aus Spanien!"

Gespannt riss er den Umschlag auf und überflog die Zeilen. Sein Gesicht wurde ernst, sehr sehr ernst. Das bemerkten auch die Kinder und verstummten. Seba las eilig die Zeilen, dann sprang er auf und erklärte, dass er schnell telefonieren müsse und verschwand in seinem Haus.

Jo, Mücke, Esra, Inchi und die Zwillinge tauschten fragende Blicke aus. Sie begannen den Tisch abzuräumen.

Nachdem sie gemeinsam das Geschirr in der Küche gespült hatten, gingen sie in den Stall, um ihre Pferde zu putzen. Es war ruhig geworden, die Vorfreude auf den angekündigten Ausritt war kurzzeitig verflogen.

Jo holte Zitrönchen aus der Box und band ihn neben den anderen im Innenhof an. Jo konnte Inchis besorgten Blick nicht übersehen und Mücke schaute genauso drein wie Inchi.

Nur keine Angst zeigen, dachte Jo. Sie putzte sein goldenes Fell, das anfing in der Sonne zu glänzen. Sie zupfte jeden Strohhalm aus dem Schweif. Zitrönchens Mähne schillerte silberfarben und er wirkte für Jo gelassen und entspannt. Zwischendurch schnupperte er an ihren Hosentaschen, woraufhin Jo ihm eine Möhre ins Maul schob.

Liebe geht durch den Magen, dachte sie, und dabei fiel ihr auf, dass der Schmetterling sich auch beruhigt hatte.

In diesem Moment kam Seba aus seinem Haus, das neben der Halle stand und somit auch dem Innenhof zugeneigt war.

Er lief mit ernster Miene auf die Kinder zu, als Oma durch das Tor gelaufen kam und fröhlich den Kindern zuwinkte.

Mücke stürmte sofort los, um Oma zu berichten, dass Jo Zitrönchen reiten würde. Nun wurde auch Omas Gesicht ernst und sie ging auf Seba zu.

Jo warf Mücke den typischen Große-Schwesternblick zu, der Fürchterliches versprach, wenn sie jetzt nicht Zitrönchen reiten dürfte.

Das erkannte auch Mücke und schlich zu Kimba zurück.

Jo verstand nicht, was Oma zu Seba sagte und sie konnte auch nicht hören, was Seba zu Oma sagte.

Sie sprachen eine ganze Weile bis Oma Seba die Hand auf den Arm legte und ihm zunickte. Was das zu bedeuten hatte, konnte Jo sich nicht erklären.

Als Oma auf Jo zugelaufen kam, zwinkerte Oma ihr zum großen Erstaunen zu.

„Na, dann bin ich mal gespannt!", sagte Oma, „Nicht runterfallen, ja?"
Mücke sah Oma erstaunt an und erwiderte entsetzt: „Oma! Wer denkt denn jetzt ans Runterfallen?"

Oma lachte verhalten und hielt sich die Hand kurz vor den Mund.

„Ich! Ja, du hast recht, aber ich bin besorgt, aber nein, Mücke du hast recht."

Dann klopfte sie Zitrönchen am Hals und fuhr fort: „Ich werde zugucken, wie du ihn reitest!"

„Ohne runterzufallen!", fügte Mücke hinzu.

Aber da war es wieder, dieses Wort. Jo versuchte dieses Wort aus ihrem Hirn zu streichen und es so wie Esra zu machen.

„Ich werde oben bleiben", flüsterte Jo, dann beschloss sie fest daran zu glauben, obwohl ihr das nicht leicht fiel. Sie war ja noch nicht so lange dabei, auch wenn Seba glaubte, dass sie schon so weit war.

Und da waren sie schon wieder, diese Zweifel. Jo atmete tief durch und begann Zitrönchens Hufe auszukratzen.

„Er ist ja wirklich sehr sehr hübsch!", bewunderte Oma ihn.

Auch Oma versuchte Jo abzulenken. „Und diese tolle Farbe!"

„Ein Palomino!", erwiderte Mücke.

„Ja", antwortete Oma, „mit goldenem Fell!" und strich sanft über das Fell von Zitrönchen, als Seba mit dem Sattel und der Trense aus dem Stall kam.

Der Schmetterling meldete sich umgehend zurück und dirigierte Zitterattacken vom Magen bis in die Knie.

Seba und Jo sattelten und zäumten Zitrönchen auf und als sie auf dem Weg in die Halle waren, huschten die anderen Mädels in Richtung Tribüne.

„Keiner, außer Frau Dumont, geht auf die Tribüne!", rief Seba.

Mücke und die anderen Kinder verzogen enttäuscht das Gesicht und schlurften enttäuscht zu ihren Pferden zurück, die entspannt im Innenhof dösten.

Als Jo mit dem Fuß in den Steigbügel stieg, stand Zitrönchen ganz still. Allein schon das beruhigte sie um ein ganzes Stück. Sie schwang sich in den Sattel und als sie auf Zitrönchen saß, fühlte sich das so gut an, als seien Sattel und Pferd wie für sie gemacht.

„Passt mir!", sagte sie zu Seba, der daraufhin kurz lachte, sie dann aber ermahnte: „Jo, absolute Konzentration. Das ist ganz wichtig! Der Teufel schläft nie!"

Der Teufel schläft nie! Der Teufel schläft nie, dachte Jo, was um Himmels Willen sollte das jetzt bedeuten? Und an was sollte sie jetzt denken? Auf jeden Fall nicht ans... Nein, sagte sie sich, daran auf gar keinen Fall.

Sie blickte hoch, streckte ihren Oberkörper lang und drückte die Absätze herunter und versuchte sanft die Knie zu schließen und sie dachte: „Ich reite auf Zitrönchen! Und es fühlt sich so gut an. Es fühlt sich so gut an... so gut an...so gut an."

Seba führte sie ein paar Runden und Jo konnte erkennen, dass sowohl Oma auf der Tribüne, als auch Seba, sich entspannten.

Dann ließ er nach und nach die Longe länger und lies Jo und Zitrönchen im Schritt um sich herum laufen.

Dann rief Seba: „Teeeeerab!"

Jo drückte, so wie sie es von Trude gewöhnt war, die Schenkel an Zitrönchens Bauch, der mit einem riesigen Satz nach vorne sprang, wodurch Jo in eine deutliche Rückenlage geriet.

Seba zog an der Longe und Zitrönchen stand wie ein Denkmal in der Halle, wodurch Jo nun aus der Rückenlage auf den Hals katapultiert wurde.

„Nicht schlimm!", beruhigte Seba sie, „Jo, das ist nicht Trude. Du musst Zitrönchen mit sehr viel Gefühl reiten. Es reicht, wenn du die Schenkel nur anlegst."

Jo rutschte sich schnell zurecht, ihre Hände zitterten.

„Aaaaah, ich sehe du hast Wackelpudding genascht?",
scherzte Seba.

Jo schüttelte den Kopf, nein, das hatte sie nicht und sie
wollte auch nicht, dass Zitrönchen das dachte.

Sie stellte erneut ihre Hände aufrecht hin und schloss die
Fäuste. Sie versuchte sich auf das, was sie gelernt hatte zu
konzentrieren, dann würde sie auch nicht ans… schon wieder versuchte sich dieses Wort in ihre Gedanken einzu-
schleichen.

„Langer Hals, lange Ohren, langer Rücken!", befal Seba
und Jo bemühte sich um einen sehr langen Hals.

Dann kommandierte Seba erneut: „Teeeeeerab!" und Jo
legte sanft die Schenkel an Zitrönchens Bauch und Zitrönchen setzte sich genauso sanft in Bewegung.

Seba nickte und sagte leise: „Er läuft wie auf rohen Eiern!"

Dann lachte er und lobte: „Braaaaav ein Pferd!" und Jo
dachte: Brav ein Pferd, brav ein Pferd… brav ein Pferd!

Nach ein paar Runden ließ er Zitrönchen zum Schritt
durchparieren.

„Handwechsel!" gab er an, worauf Jo Zitrönchen zum
Halten brachte und Seba die Longe umschnallte.

Jo ritt erneut im Schritt an. Dabei vernahm sie das leise
Quietschen der Tribünentür und aus den Augenwinkeln
heraus, sah sie, dass Samantha mit ihrem Vater zurückgekehrt war und sich beide neben Oma stellten.

Sie erinnerte sich an die erste Stunde und auch an Samanthas Sturz, sie sah die Bilder von Zitrönchen vor sich, wie er
bockend durch die Halle sprang und wie Samantha…

Sie merkte noch die Anspannung im Rücken von Zitrönchen, doch bevor sie einen klaren Gedanken fassen konnte,
sauste er los, quietschte und bockte.

Jo flog vor und zurück.

Seba hing an der Longe und versuchte Zitrönchen zu halten, aber die Longe flutschte im Nullkommanichts durch seine Handschuhe.

Jo versuchte die Mähne zu greifen, doch es gelang ihr nicht, sie verlor die Bügel und als Zitrönchen erneut seinen Rücken kugelrund machte, flog sie im hohen Bogen in den Sand.

Die Landung war hart, sehr hart und sie blieb auf der Seite liegen. Jo fühlte einen Schmerz in der linken Schulter, der sich bis zu ihrem Bein herunterzog und ihr die Luft nahm. Es war still.

„Mistvieh!", hörte Jo Samantha sagen und dann hörte sie die eiligen Schritte von Oma auf der Tribüne.

„Jo, kannst du aufstehen?" Oma, fasste Jo wenige Sekunden später am Arm.

Langsam öffnete Jo die Augen und das anfangs Verschwommene, stellte sich zunehmend scharf.

„Ja", stöhnte sie, „ja, ich glaube schon!"

Dann drehte sie sich langsam auf den Rücken und versuchte sich aufzurichten.

Oma half ihr dabei.

Als sie saß, sah sie, dass Seba Zitrönchen inzwischen zum Stehen gebracht hatte. Er ergriff die Zügel und kam mit Zitrönchen auf Jo zugelaufen.

„Das war meine Schuld!", stammelte Jo, noch drehte sich die Halle ein wenig.

„Blödsinn!", hörte Jo eine männliche Stimme hinter Oma sagen, sie bemühte sich nochmal den Blick scharf zu stellen und erkannte Herrn Wüstenhagen, der anscheinend auch in die Halle geeilt war.

Er ging jetzt auf Seba los: „Wenn dieser verdammte Gaul nicht sofort verschwindet, mache ich Ihnen die Hölle heiß!"

Jo versuchte aufzustehen, aber Oma musste sie halten, weil ihre Knie zitterten wie Espenlaub.

„Ich war abgelenkt!", Jo versuchte laut und deutlich zu sprechen, aber es gelang ihr nicht.

„Oma, bitte, sag ihm, dass es meine Schuld war. Ich habe mich nicht konzentriert."

Oma schüttelte den Kopf: „Das war vielleicht noch ein bisschen früh für dich Jo. Tut dir irgendwas weh?"

Jo schüttelte den Kopf und Herr Wüstenhagen tobte: „Ich werde dafür sorgen, Herr Alvarez-Sanchez, ich werde dafür sorgen, dass dieser Gaul verschwindet. Das verspreche ich Ihnen."

Seba lief, ohne Herrn Wüstenhagen auch nur eines Blickes zu würdigen, an ihm vorbei.

Bei Jo angekommen fragte er: „Ist dir was passiert?"

Jo schüttelte den Kopf und antwortete: „Ich will nochmal rauf."

„Auf keinen Fall!", rief Oma entsetzt, „Du bist noch nicht so weit!"

„Seba bitte, ich habe mich ablenken lassen, ich habe daran gedacht, wie Samantha runtergefallen ist. Das hätte ich nicht tun dürfen! Bitte lass mich noch einmal rauf!", flehte Jo und die Tränen stiegen ihr in die Augen.

Seba blickte zu Oma und Oma sah Seba fragend an.

„Wenn ich sie führe?", fragte er Oma und Oma nickte nur sehr zögernd.

Zitrönchen, der schnaubend neben Jo stand, hob den Kopf, als Jo an ihn heran trat.

Sie klopfte ihm den Hals und sagte: „So, jetzt machen wir das nochmal, aber richtig!" und als sie ihren Fuß erneut in den Steigbügel stellte, stand Zitrönchen wieder ganz still und wartete, bis sie im Sattel saß.

„Sie verlassen jetzt die Halle!", hörte Jo Oma sagen. Oma stand vor dem verdutzten Gesicht von Herrn Wüstenhagen.

„Und bitte nehmen sie ihre Tochter mit!", fügte Oma hinzu.

„Das wird ein Nachspiel haben!", schimpfte Herr Wüstenhagen, so dass Zitrönchen zuckte. Jo klopfte ihn mit einer Hand seitlich am Hals, während Seba die Longe sortierte.

Sie sah Samantha auf der Tribüne stehen. Die Arme vor der Brust verschränkt und mit einem breiten Grinsen im Gesicht.

„Jo, aufpassen jetzt!", ermahnte Seba sie.

Jo setzte sich tief in den Sattel und achtete nur darauf wie Zitrönchen sich anfühlte. Sie spürte den Bauch rechts und links gegen die Waden wippen. Sie achtete auf sein Ohrenspiel und hörte auf sein Schnauben. Sie sah, wie die Mähne bei jedem Schritt wippte und sie vergaß alles Andere um sich herum. Zitrönchen fühlte sich gut an. Jeder Schritt auf ihm fühlte sich gut an. Jeder einzelne Schritt.

Seba lief mehrere Runden neben Jo und Zitrönchen her, ließ sie zwischendurch antraben und wieder durchparieren. Er blieb die ganze Zeit an der Seite, marschierte schließlich in die Mitte der Halle und hielt dort an.

Oma war in der Halle geblieben und kam auf sie zu und lächelte.

„Super gemacht!", sagte sie zu Jo und klopfte Zitrönchen den Hals.

„Das reicht, wir wollen es dabei belassen. Jetzt war er brav, du bist noch einmal aufgestiegen und so lassen wir es jetzt enden", sagte Seba.

Jo stieg ab, ihre Schulter schmerzte etwas, aber sie hatte ein gutes Gefühl. Sie führte Zitrönchen aus der Halle und sah Herrn Wüstenhagen im Innenhof lautstark schimpfend telefonieren.

Mücke, Inchi und die anderen kamen sofort auf Jo zugelaufen.

„Samantha hat gesagt, du bist volle Kanne runter gekracht?", fragte Mücke besorgt.

„Ja, sie muss nur noch sechs Mal fliegen!", hörte sie Seba hinter sich.

„Aber sie hat das verdammt gut gemacht und ist wieder aufgestiegen!"

Die anderen sahen Jo mit großen Augen an.

Als Jo an Samantha vorbei lief, grinste die nicht mehr, das Lob von Seba gefiel ihr nicht.

„So und ihr? Steht nicht herum! Pferde satteln und ab in die Halle!", wandte sich Seba an die anderen.

Oma half Jo beim Absatteln, es fiel Jo schwer, beide Arme hoch zu strecken, das bemerkte auch Oma.

„Na? Alles in Ordnung?", fragte sie nach und Jo lächelte Oma an und antwortete: „Aber sowas von!"

Bilder im Kopf und für die Wand

Nach dem Abendbrot hatte Oma es an diesem Abend besonders eilig. Sie kündigte an, noch einmal in den Stall zu laufen, weil sie sich mit Herrn Alvarez-Sanchez zum Gespräch verabredet hätte.

Jo und Mücke waren verwundert und Jo fragte besorgt nach: „Geht es um Zitrönchen?" und Oma antwortete: „Nicht unbedingt, es geht um eine Familienangelegenheit von Seba. Aber wir werden sicher auch Zitrönchen noch einmal ansprechen."

Jo holte Luft um erneut für Zitrönchen in die Bresche zu springen, doch Oma winkte ab.

„Mach dir keine Gedanken. Keine schlechten jedenfalls."

Oma drückte ihr einen Kuss auf die Wange und machte sich zusammen mit Lasse auf den Weg in den Stall.

Jo lag im Bett und lauschte nach dem Quietschen des Gartentores, was nämlich bedeuten würde, dass Oma zurück war. Aber als es später wurde, fielen ihr die Augen zu und sie hörte nicht mehr, wie Oma zurück kam.

Oma klopfte vorsichtig bei Mama ans Fenster, die dann zu Oma hinaus in den Garten schlich, ganz leise, damit Jo und Mücke sie nicht hörten.

„Kannst du mir morgen etwas aus der Stadt mitbringen?", fragte Oma und reichte Mama ein gefaltetes Blatt Papier.

Mama nickte.

„Was ist denn los im Stall?", wollte Mama wissen.

„Die Schwester von Herrn Alvarez-Sanchez ist schwer erkrankt und muss wohl für längere Zeit in ein Krankenhaus. Der Neffe von Herrn Alvarez-Sanchez wird übermorgen früh anreisen und vorerst bei ihm wohnen, bis es der

Mutter besser geht. Ich habe ihm geholfen, das Zimmer vorzubereiten. Ich werde morgen Abend nochmal in den Stall müssen. Wir haben noch eine Kleinigkeit zu erledigen", erklärte Oma.

„Ach herrje, das tut mir leid. In Ordnung, ich erledige das morgen."

Mama faltete den Zettel nochmal, ohne ihn anzusehen und steckte ihn in ihre Hosentasche. Dann sagten sie sich gute Nacht und verschwanden in ihren Häusern.

Am nächsten Morgen wurden Jo und Mücke um 8 Uhr von Oma geweckt.

„Guten Morgen, das Frühstück ist fertig!", rief sie.

Mücke zog sich die Bettdecke über die Nasenspitze und grummelte: „Ooooma, wir haben doch Ferien!"

„Genau", antwortete Oma. „Und deshalb nutzen wir jetzt den Tag! In zehn Minuten am Frühstückstisch!", flötete sie.

Es dauerte ein paar Minuten länger, bis Jo und Mücke am Frühstückstisch saßen.

Oma hatte Spiegeleier gebraten und Obst geschnitten. „Wie wäre es denn, wenn wir heute mal einen stallfreien Tag machen?", fragte Oma, was zu zwei entsetzten Gesichtern führte, und nach ein paar Schrecksekunden, zu lautem Protest.

„Auf gar keinen Fall, ich muss hin!", erwiderte Jo und Mücke fügte hinzu: „Ich will kein Stallfrei, Oma!"

Oma begann zu lachen, sie lachte so sehr, dass die Spiegeleier in der Pfanne, die sie in der Hand hielt, umher rutschten.

„Das war mir klar!", lachte sie, „aber ich wollte es trotzdem mal versuchen!"

Jo und Mücke runzelten die Stirn, waren aber doch sichtlich erleichtert.

„Also, ich muss euch was berichten!" Oma legte jedem sein Spiegelei auf den Teller, stellte die Pfanne zurück und setzte sich an den Tisch.

„Morgen früh wird der Neffe von Herrn Alvarez-Sanchez anreisen. Luis heißt er und ist fast fünfzehn. Seine Mutter, also die Schwester von Herrn Alvarez-Sanchez, ist leider sehr krank. Bis es ihr wieder besser geht, soll er bei Herrn Alvarez-Sanchez bleiben."

„Stand das in dem Brief?", wollte Mücke wissen und Oma nickte.

„Gleich kommen Herr Alvarez-Sanchez und Helmut aus dem Stall mit dem Trecker und einem Anhänger. Sie holen das Schlafsofa und die Kommode aus dem Gästezimmer. Ich stelle dem Jungen das erst einmal zur Verfügung."

Jo legte ihre Gabel zurück auf den Teller, woraufhin Oma sie ermahnte: „Erst wird aufgegessen. Ihr müsst ordentlich frühstücken, wir laufen dann gleich mit rüber und helfen eben dabei, das Zimmer einzurichten."

Jo und Mücke nickten und stopften sich das Ei in den Mund.

„Immer langsam, wir haben Zeit." Dann atmete Oma tief durch und sah Jo an und sprach: „Dann gibt es noch eine Neuigkeit."

Jo fühlte in Omas Blick, dass das keine gute Neuigkeit war.

„Heute Abend ganz spät, wird Zitrönchen abgeholt."

Jo blieb das Ei im Hals stecken und der Schmetterling reagierte mit hysterischem Flügelschlagen.

Oma fuhr fort: „Zitrönchen geht in Beritt, das bedeutet, er geht in die Schule, er kommt also wieder."

„Für wie lange?", stammelte Jo.

„Das hängt davon ab, wie lange er braucht", antwortete Oma, „dafür kommt ein anderes Pferd solange, als Ersatz. Das soll sehr freundlich sein und ganz artig."

Jo wollte kein anderes Pferd als Ersatz und auch kein ganz freundliches oder artiges. Gerade jetzt, wo sie Zitrönchen näher kam, sollte er weg?

„Jo, jetzt iss erst einmal auf!" Oma erkannte, dass Jo die Nachricht nicht so leicht nahm.

„Ich habe keinen Hunger mehr!", antwortete sie trotzig und schob demonstrativ den Teller von sich weg.

Mücke tat es ihr nach. Auch wenn sie nicht unbedingt scharf darauf war, Zitrönchen zu reiten, wollte sie doch ihrer Schwester zeigen, dass sie zu ihr hielt.

„Und wenn die in der Schule gemein zu ihm sind?", fragte Mücke.

„Wieso sollen die gemein zu ihm sein?", fragte Oma zurück.

„Können wir ihn da besuchen?", unterbrach Jo und Oma antwortete entschieden: „Nein! Wir können ihn dort nicht besuchen!"

Oma schaute sehr ernst, sehr sehr ernst.

Die Stimmung von Jo und Mücke war binnen weniger Minuten in den Keller gesunken, doch für weitere Diskussionen blieb keine Zeit, denn vor dem Haus war bereits der Trecker zu hören.

Oma blicke auf die Uhr und rief entsetzt: „Huui, die kommen aber früh, na, dann mal los."

Sie ließen alles stehen und liegen und verfrachteten innerhalb einer halben Stunde das Sofa und die Kommode auf den Anhänger.

Jo nahm wahr, dass Oma und Seba Blicke austauschten, die ihn anscheinend darüber informieren sollten, dass sie und Mücke eingeweiht waren.

Seba begrüßte beide anders als sonst, er wirkte auch nicht so fröhlich wie sonst.

Aber Jo und Mücke waren ja auch nicht so fröhlich wie sonst.

Seba und Helmut fuhren mit dem Trecker wieder zurück in den Stall und als Jo und Mücke zusammen mit Oma im Stall ankamen, standen das Sofa und die Kommode schon in Luis neuem Zimmer.

Als Mücke und Jo das Zimmer betrachteten, sagte Mücke leise: „Gar keine Bilder oder sowas."

„Du hast recht!", antwortete Seba. „Ich habe eine Kamera, vielleicht könnt ihr ein paar Bilder von den Pferden machen, ich schicke Helmut dann los, damit er Abzüge machen lässt. Dann schaffen wir es auch noch, sie rechtzeitig aufzuhängen."

Wenig begeistert stimmten Mücke und Jo zu. Sie ließen sich die Kamera erklären und schlenderten zur Wiese, auf der die Pferde, den Vormittag verbrachten.

Als sie durch das Tor auf die Weide liefen, hörten sie ein lautes Wiehern von der anderen Seite. Es war Zitrönchen, der den Kopf hoch warf und auf sie zugetrabt kam.

Jos Schmetterling flog einen eleganten Freudenlooping.

Mücke verschwand kurz hinter Jo, als Zitrönchen anscheinend ungebremst auf sie zukam. Er blieb jedoch direkt vor Jo stehen und Mücke trat wieder aus dem Schatten ihrer Schwester hervor.

„Er weiß, wer du bist", flüsterte Mücke.

„Ja, ich glaube auch", antwortete Jo.

Sie streichelte seine Stirn und seine weiche Nase.

„Komm, mach bitte ein Bild von uns", bat Jo ihre Schwester.

Mücke schaute durch den Sucher der Kamera und erwiderte: „Er ist zu groß, er passt nicht ins Bild!"

„Dann musst du weiter zurück gehen oder dreh mal an dem Ding vorne hin und her", antwortete Jo und positionierte sich gekonnt neben Zitrönchen.

„Schön lächeln!", sagte sie zu ihm und Zitrönchen hob den Kopf, blickte zu Mücke und stand ganz still.

„Jetzt beeile dich!", quetschte Jo zwischen einem breiten Grinsen hervor, welches sie extra für die Kamera aufsetzte.

„Er lacht gerade!"

Jetzt lachte Mücke auch, sie drückte ein paar Mal auf den Auslöser, bevor es weiter zum nächsten Pferd ging.

Jo lief voran, gefolgt von Zitrönchen, dem die Fotosession anscheinend gefiel und Mücke trabte mit der Kamera hinterher.

Trude, deren Bauch nicht ins Bild passte, lieferte das beste Bild, entschied Mücke. Sie hatte genau den Moment eingefangen, als Trude gähnend ihre Zahnreihen blitzen ließ. Außer Maul war nicht viel auf dem Bild zu sehen, aber gerade deshalb fand Mücke es so genial.

Nachdem sie alle Pferde von oben und von unten fotografiert hatten, liefen sie zurück in den Stall.

Seba und Oma saßen im Innenhof und unterhielten sich, jedoch verstummten sie, als sie Jo und Mücke kommen sahen.

Oma freute sich insgeheim über die zurückgekehrte gute Laune der beiden.

„Oh bitte Oma, kannst du die Bilder heute noch entwickeln lassen?", fragte Mücke ungeduldig.

Oma nahm die Kamera entgegen und antwortete: „Ja, wir können es ja versuchen."

„Bitte jetzt!", drängelte Mücke weiter, worauf Oma sich von der Bank erhob und antwortete: „Ich übernehme das, Herr Alvarez-Sanchez, sonst gibt Mücke keine Ruhe! Ich bringe heute Abend ein paar Bilder für das Zimmer mit."

Dann wandte sie sich an Mücke: „Dann kommst du aber mit und wir suchen zusammen Bilder für das Zimmer aus."

Mücke hopste vor Begeisterung vor Oma auf und ab.

„Heißt das ja?"

„Jaaaaaahaaaa!", rief Mücke.

Dann machten Oma und Mücke sich auf den Weg und Jo stand allein bei Seba.

Eigentlich wollte sie sich gar nicht groß mit ihm unterhalten, sie wollte gar nichts davon hören, dass Zitrönchen in eine Schule gehen sollte.

Ihre Gedanken wurden von Seba unterbrochen: „Wollen wir Zitrönchen reiten?"

Jo erschrak so sehr, dass sie sich verschluckte und vor lauter Husten gar nicht antworten konnte. Aber sie konnte nicken und sie versuchte auch zu lächeln, so wie das beim Husten halt möglich war.

Seba stand auf und sagte: „Gestern warst du sehr mutig."

Jo nickte erneut und Seba fügte hinzu: „Heute musst du noch mutiger sein!"

Augenblicklich verstummte der Husten und Jo antwortete mit krächzender Stimme: „Einverstanden!"

„Ich hole das Sattelzeug, du holst Zitrönchen von der Wiese", ordnete er an.

Jo schnappte sich das Halfter und einen Strick und rannte so schnell sie konnte zur Wiese.

Zitrönchen stand schon wieder am anderen Ende, weshalb Jo dann laut „Ziiitröööööönchen!" rief.

Tatsächlich hob Zitrönchen wieder seinen Kopf, schlug ihn einmal nach oben und trabte los.

Jo hielt die Hand auf ihren Magen, weil der Schmetterling unzählige Freudenloopings flog, denn sie glaubte fest daran, dass Zitrönchen sich genauso über sie freute, wie sie sich über ihn.

Sie klopfte ihn als er am Tor angekommen war und erzählte ihm, dass sie jetzt zum Reiten in die Halle gehen würden.

Zitrönchen spitzte seine Ohren, als ob er Jo genau verstünde.

Im Stall angekommen wartete Seba schon mit dem Putzzeug und dann striegelten Jo und Seba Zitrönchens Fell, bis es goldig glänzte.

Seba verlor nicht viele Worte, was Jo aber auf die Nachricht über die Krankheit seiner Schwester zurückführte.

Als sie zur Halle gingen, sagte Seba zu Jo: „Morgen kommt mein Neffe Luis."

Jo nickte, sie wusste nicht, was sie darauf antworten sollte.

„Er kommt aus Spanien angereist, aber er spricht ganz gut Deutsch. Sie haben mal für ein paar Jahre in Deutschland gelebt. Dann starb Luis` Vater bei einem Verkehrsunfall und Luis und meine Schwester, also seine Mutter, gingen zurück nach Spanien."

Jo hörte zu, was Seba ihr erzählte und es machte sie traurig.

„Wir werden uns um ihn kümmern", sagte Jo, obwohl sie keine Ahnung hatte, wie sie sich um Luis kümmern sollte.

„Gut! Das ist sehr gut", erwiderte Seba, „er kennt hier ja sonst niemanden."

Inzwischen standen sie in der Mitte der Halle und Zitrönchen war zum Aufsteigen bereit.

„So und nun lass uns konzentriert arbeiten!", sagte Seba in einem ernsten Ton.

Ohne darauf zu antworten, jedoch sichtlich entschlossen, stieg Jo auf, setzte sich sanft in den Sattel und nahm die Zügel auf.

Seba hatte die Longe eingeschnallt und lief neben Jo her.

Es war am Vormittag ausgesprochen ruhig, fand Jo. Sie konzentrierte sich auf Zitrönchens Bewegungen, auf sein Ohrenspiel und auf sein Schnauben. Umso mehr er schnaubte, desto entspannter war er, das hatte sie von Seba gelernt. Und Zitrönchen schnaubte mehrmals sehr entspannt. Zwischendurch klopfte auch Seba ihn am Hals, dann ließ er nach und nach die Longe etwas länger und Jo ritt den Kreis um ihn herum immer weiter aus. Sie ritt die lange Seite der Bahn entlang und Seba lief in der Mitte.

„Du entscheidest heute, wann du antrabst und wann du wieder durchparierst. Ich laufe nur mit und bin für den Notfall da."

Das Wort Notfall schloss Jo sofort aus ihren Gedanken aus, denn sie war sich sicher, heute würde es keinen Notfall geben. Sie erinnerte sich an den Moment, als Zitrönchen auf der Wiese zu ihr kam, sie hielt dieses Bild in ihrem Kopf fest und trabte entschlossen Zitrönchen an. Bei jedem Schritt versuchte sie sich auf ein Bild zu konzentrieren, das sie im Kopf hatte, wie seine Mähne im Wind wehte, wie er sie ansah. Sie nahm jede Bewegung wahr und sie vergaß sogar, dass Seba sie an der Longe hielt. Sie trabte Runde um Runde, parierte immer wieder durch zum Schritt, ließ ihn auch kurz mal anhalten, klopfte ihn und trabte erneut an.

Irgendwann sagte Seba: „Traust du dich zu galoppieren?"

Jo antwortete darauf nicht, sie war so konzentriert, dass sie Seba nur sehr leise wahrnahm.

In der nächsten Ecke legte sie vorsichtig aber bestimmt den äußeren Schenkel zurück und Zitrönchen sprang um in den Galopp.

Seba griff vorsichtig und ohne zu stören die Longe nach und Zitrönchen und Jo galoppierten in einem ruhigen entspannten Tempo auf dem Zirkel.

Als Jo Zitrönchen durchparierte, strahlte sie über beide Ohren. Sie klopfte ihn heftig an beiden Seiten des Halses und lobte ihn, in dem sie ihm mindestens zweiundzwanzig Mal „braaaav" zuflüsterte.

Seba holte die Longe ein und fragte: „So lassen wir ihn?"

Und Jo lachte: „Ja, so lassen wir ihn. Das hat er super gemacht!", aber Seba korrigierte: „Das hast du suuuper gemacht!"

Sie drehte noch ein paar Runden im Schritt, dann stieg Jo ab und führte ihn aus der Halle. Sie rieb ihn mit Stroh ab und brachte ihm eine dicke Möhre.

Helmut hatte in der Zwischenzeit die anderen Pferde von der Wiese geholt und verteilte das Mittagsfutter.

Als Jo die Stallgasse fegte, hörte sie die Stimmen von Esra und Inchi auf dem Innenhof. Jo gesellte sich zu ihnen, erzählte aber nichts von ihrem Ritt auf Zitrönchen. Sie war überglücklich und irgendwie wollte sie das für sich behalten.

Esras Mutter stellte zwei große Schüsseln auf den Tisch, wünschte einen guten Appetit und ging dann wieder. Also war Esra heute dran, für das Mittagessen zu sorgen.

Jo hatte Hunger, aber bis zum Mittag sollte es noch ein bisschen dauern.

Seba hatte sich mit einem Glas Wasser auf eine Bank im Innenhof gesetzt. Er hatte ein paar Reitstiefel herausgesucht, die er nun putzen wollte.

Inchi stürzte zu ihm und fragte, ob sie ihm helfen könne.

Esra und Jo setzten sich dazu.

„Ja", antwortete Seba, „die haben mir nie richtig gepasst, sie sind eigentlich nie benutzt worden, aber doch über die Jahre sehr eingestaubt. Sie sind für Luis."

„Luis?", fragte Inchi. „Wer ist Luis?"

„Luis ist mein Neffe, er kommt morgen zu mir, er wird eine Weile bleiben, seine Mutter ist sehr krank."

Sebas Stimme klang leise und traurig.

„Oh", erwiderte Esra, „na dann lasst uns mal die Stiefel putzen!"

Inchi ergriff sie schneller als Esra. „Das mach ich!", bestimmte sie und Seba lachte und schob ihr die Dose mit der Schuhcreme zu.

Dann polierte Inchi die Stiefel bis sie tatsächlich aussahen wie neu. Allerdings klebte die Schuhcreme jetzt in Inchis Gesicht und in ihren Haaren, worüber Esra, Jo und Seba sehr lachen mussten.

Esra wischte Inchi das Gesicht mit einem Tuch: „Wie ein kleines Kind!", lachte sie und Inchi lachte mit.

Wenig später trafen die Zwillinge ein und auch Samantha erschien pünktlich zum Mittagessen. Als ob es das Selbstverständlichste von der Welt sei, setzte sie sich neben Inchi an den Tisch.

Inchi beschloss daraufhin mit links zu essen, denn sie sah schon wieder Samanthas Zopf über ihre Gabel fegen.

Während sie aßen, stellte Samantha die seit Tagen über alles entscheidende Frage: „Wer reitet Zitrönchen heute?", woraufhin die anderen erwartungsvoll Seba anschauten.

Auch Jo.

Doch Seba ließ sich nicht vom Essen abbringen. Er antwortete kurz mit vollem Mund: „Ist schon gegangen und morgen geht er in eine Schule!"

So, damit war es also tatsächlich beschlossene Sache, dachte Jo. Sie hatte gehofft, dass Seba es sich nach ihrem Ritt doch noch anders überlegte, aber wenn er es den anderen jetzt mitteilte, hielt er wohl an seiner Entscheidung fest. Jo sah wie Samantha ein breites Grinsen aufsetzte. Sie schleuderte ihren Zopf durch die Gegend, doch dieses Mal erwischte sie Inchis Gabel nicht, denn Inchi hielt sie, wenn auch ein wenig verkrampft, in der linken Hand.

„Na, das wird mein Vater begrüßen!", hörte Jo Samantha sagen.

Seba kaute weiter und murmelte: „Das hat mit deinem Vater nichts zu tun!", worauf Samantha sich zwar nicht vom Grinsen ablenken ließ, es aber dabei beließ und nicht weiter nachfragte.

Die restliche Mittagsrunde verlief, im Gegensatz zu den anderen Tagen, ruhig.

Jo fühlte sich nach dem Mittagessen müde, die Anspannung war verflogen und je später es wurde, umso trauriger wurde sie, denn sie wusste, dass sie sich heute noch von Zitrönchen verabschieden musste.

Während die anderen ritten, ging sie mit einer Möhre in der Hand zu Zitrönchen. Als Zitrönchen zufrieden sein Gemüse kaute, fiel Jo ihm um den Hals. Sie beschloss es schnell zu machen, denn sie wollte nicht, dass er ihre Traurigkeit bemerkte. Sie erinnerte sich, wie Oma sagte, dass Pferde fühlen, wie es einem geht und Zitrönchen sollte nicht traurig in die Schule fahren, das stand für Jo fest.

„Wir sehen uns bald wieder, ja?", flüsterte sie und Tränen stiegen auf.

Der Schmetterling drückte sich wie ein Stein auf den Boden ihres Magens und Jo glaubte auch, dass er es war, der da so schwer am Herz zog.

Sie holte tief Luft, strich Zitrönchen über die Nase und flüsterte: „Bis bald!"

Dann lief sie los, raus aus dem Stall, entlang der Pferdewiese bis nach Hause. Zu Hause warf sie sich auf ihr Bett und beschloss nicht mehr aufzustehen, bis Zitrönchen wieder zurück war. Leise kullerten ein paar Tränen über die Wangen. Da das aber keiner sehen sollte, wischte sie schnell ihr Gesicht, atmete tief ein und aus und versuchte die Traurigkeit zu unterdrücken.

Irgendwann schlief sie ein und wurde durch einen lauten Schrei von Mücke geweckt.

„Jooooohooo! Was machst du denn im Bett? Es ist doch erst sieben Uhr! Komm runter! Wir haben die Bilder unten!"

Jo rieb sich die Augen und obwohl sie sich fest vorgenommen hatte, das Bett nicht mehr zu verlassen, rutschte sie auf die Bettkante, schlüpfte in ihre Hausschuhe und lief hinter Mücke die Treppe herunter.

Im Wohnzimmer stand Oma und auf dem Sofa standen große Rahmen mit Bildern. Ein Bilderrahmen stand verkehrt herum, so dass Jo das Bild nicht erkennen konnte.

Jos Blick fiel sofort auf das Bild von Trudes Schnute. Sie musste lachen, obwohl sie eigentlich traurig sein wollte.

„Das ist wirklich ein geniales Bild!", sagte Jo und Mücke erwiderte stolz: „Das ist das beste! Wenn ich groß bin, werde ich Fotografin!"

Jo nickte und als sie über die anderen Bilder sah, stimmte sie Mücke zu.

„Die sind alle klasse! Das hier von Kimba ist mindestens genauso gut, wie das Bild von Trude."

Das Bild von Kimba zeigte einen halben Pferdekopf ohne Ohren, jedoch sah es so aus, als würde Kimba gekonnt mit einem Auge in die Kamera blinzeln, wodurch es auch zu einem sehr lustigen Bild wurde.

„Ich bringe Seba die Bilder später", sagte Oma.

Sie beugte sich zu dem Bild runter, das verkehrt herum auf dem Sofa stand und drehte es um.

Jo fiel bei dem Anblick die Kinnlade herunter und der bekloppte Schmetterling schoss in ihrem Magen von rechts nach links und ließ in Jos Augen Tränen aufsteigen.

Mücke, die ihre Schwester beobachtete, warf ein: „Da biste platt, stimmt`s?"

Jo suchte nach Worten, nahm das Bild in die Hände und flüsterte: „Das ist das allerallerschönste Bild, Mücke!" und Mücke umarmte ihre Schwester von hinten um den Bauch herum.

Das Bild zeigte Zitrönchen und Jo.

Mücke hatte einen Moment eingefangen, in dem Jo und Zitrönchen sich gegenseitig ansahen. Es sah so aus, als würden sie sich tief in die Augen blicken.

Das Bild wirkte so vertraut und Jo hielt es fest an sich gedrückt.

Oma strich Jo über den Arm und sagte: „Ihr habt tatsächlich eine Verbindung und das sieht man auf diesem Bild!"

Jo versuchte den Kloß im Hals runterzuschlucken, weil sie antworten wollte, doch in dem Moment hüpfte Mücke durch das Wohnzimmer:

„Ich bin die beste Fotografin der Welt!" und Jo musste weinen und lachen zugleich.

Ein gutes Pferd hat keine Farbe

Bevor Oma an diesem Abend noch einmal in den Stall fuhr, sah sie nach Jo, doch Jo war schon eingeschlafen und hielt das Bild von Zitrönchen fest im Arm. Oma zog es vorsichtig hervor und stellte es auf den Nachttisch, so dass Jo es sehen konnte, wenn sie aufwachte.

Dann lief sie auf Zehenspitzen zu Mücke ins Zimmer.

Mücke war auch schon eingeschlafen.

Oma zog die Bettdecke zurecht und schlich sich die Treppe herunter.

Mama war gerade erst nach Hause gekommen und stöhnte: „Meine Güte, heute war vielleicht was los. Die Kunden bestellen schon die Schulbücher!"

Oma zog Mama ins Wohnzimmer: „Pssst, Jo und Mücke schlafen schon."

Mama schaute auf die Uhr: „Es ist erst halb acht!", erwiderte sie erstaunt.

„Ich weiß, ich weiß, es war ein anstrengender Tag, lass sie schlafen!"

Dann begann Oma in den Taschen von Mama zu suchen. „Hast du mir das mitgebracht, was ich dir aufgeschrieben habe?" und Mama antwortete: „Ja", und stellte ihr alle drei Taschen vor die Füße.

„Zwanzig Packungen Henna! Aber jetzt sage mir mal, wofür brauchst du so viel Haarfarbe? Du weißt, das wird rot, passt eigentlich gar nicht zu dir und es dauert eine ganze Weile, bis das wieder raus ist."

Oma wühlte in den drei Tüten: „Ich weiß, ich weiß. Ist es ohne Zusatzstoffe?"

„Ja natürlich! Ich habe sämtliche Läden leer gekauft! Was glaubst du, warum ich so spät bin!", antwortete Mama ein wenig erbost.

„Ist ja schon gut!", konterte Oma, schnappte sich die drei Tüten und gab zurück: „Ich bin dann mal im Stall! Ich weiß nicht, wie spät es wird, ich habe Lasse dabei."

Dann machte sie auf dem Absatz kehrt und stürmte aus dem Haus.

Mama schüttelte den Kopf, als sie ihr hinterher sah.

Als Oma im Stall ankam, hatte Seba Zitrönchen auf der Stallgasse angebunden. Zeitgleich mit Oma traf auch Helmut ein.

„Guten Abend Herr Helmut!", so nannte ihn Oma immer, weil sie seinen Nachnamen nicht wusste.

„Es ist sehr sehr nett von Ihnen, dass sie uns helfen."

Helmut war kein Mann der vielen Worte, er brummelte irgendwas wie: „Ist doch selbstverständlich!", aber so genau verstand Oma das nicht.

Seba hatte einen großen Trog bereit gestellt und auf einem kleinen Tischchen lagen ordentlich nach Größe sortiert, Pinsel. Kleine Pinsel, mittelgroße Pinsel und ganz große Pinsel.

Oma schien erfreut und rieb sich die Hände.

„Wunderbar!", rief sie entzückt, „dann können wir ja loslegen."

Zusammen öffneten sie nacheinander alle Packungen, die Oma in ihren Tüten mitgebracht hatte.

„Hoffentlich reicht`s!", brummelte Helmut, worauf Seba antwortete: „Das reicht! Das reicht!"

Zitrönchen, der beim Aufreißen der Packungen zuschaute, blickte nun erwartungsvoll Oma entgegen. Anscheinend glaubte er, es gäbe gleich etwas Leckeres zum Futtern, bei den vielen Tüten.

Aber dem war nicht so. Seba rührte die Hennahaarfarbe im Bottich an.

„Wer macht sich das denn auf den Kopf?", fragte er und Helmut antwortete: „Ich nicht!"

Seba sah Helmut kurz an und erwiderte grinsend: „Das brächte aber ein bisschen Farbe in dein Leben!" und tat so als wolle er ihn mit der Haarfarbe nass spritzen.

„Meine Herren, ich verstehe ja, dass diese Situation belustigend auf Sie wirkt, aber wenn ich Sie daran erinnern darf, wir sollten das hier schnell erledigen, bevor uns jemand erwischt!"

Oma klang überzeugend, woraufhin Helmut anfing Zitrönchen abzubürsten und Seba eiliger im Trog rührte.

Er rührte und rührte, doch die Farbe löste sich nur sehr langsam auf.

Endlich gab Seba das erlösende Zeichen, woraufhin sich jeder der drei einen Pinsel griff.

Sie stellten sich um Zitrönchen herum, der sich schon irgendwie besorgt zu allen Seiten umsah.

Aber er ließ es sich auch gefallen, als Seba den Pinsel auf seinem Fell ansetzte und einen kleinen Strich zeichnete.

Oma, Seba und Helmut rutschten zusammen und betrachteten genau diesen Strich.

„Hmm, ich glaube, das sieht ganz gut aus", sagte Oma, woraufhin Seba einen zweiten Strich malte. Dieses Mal deutlich länger.

Wieder steckten sie die Köpfe zusammen und betrachteten den zweiten Strich.

„Aaaah, das wird gut!", sagte Seba und Helmut stimmte ihm zu.

„Dann los!", befahl Seba, woraufhin er, Oma und Helmut um die Wette malten.

Jeder arbeitete hochkonzentriert und verteilte die Hennahaarfarbe auf Zitrönchens Fell, denn es durfte auf gar keinen Fall auch nur ein Haar übersehen werden.

Oma übernahm den Kopf, sie hatte die ruhigste Hand von den dreien und vorsichtig malte sie um die Augen herum und über die Nase.

Zitrönchen schien genauso Spaß an der Sache zu haben wie Oma und hielt auch dann ganz still, als Oma die Ohren von innen ausmalte.

Sie lobte ihn anschließend durch ein kräftiges Klopfen am Hals, allerdings protestierte Helmut sofort laut, weil nun Omas Handabdruck zu erkennen war und er den Hals noch einmal überstreichen musste.

Der Bottich leerte sich rasch, trotzdem dauerte es zwei Stunden bis auch das letzte Haar überstrichen war.

Nun stand ein edler Fuchs auf der Stallgasse und es sah beinahe so aus, als sei auch Zitrönchen ein kleines bisschen stolz.

„Ein Rotfuchs!", lachte Oma.

„Ja, aber irgendwie hat er noch ein wenig Ähnlichkeit mit Zitrönchen", murmelte Seba.

„Die Mähne muss ab!", antwortete Helmut, woraufhin Oma nun umgehend Protest einlegte, der jedoch nichts half, denn Helmut zögerte nicht lang und kürzte die Mähne auf ein Viertel.

Oma rief entsetzt: „Jetzt blutet mir aber das Herz!"

Seba lachte, „Frau Dumont, die wächst doch wieder nach!"

Anschließend warteten sie, bis die Farbe getrocknet war, was nicht sehr lange dauerte. Durch Zitrönchens Körperwärme war die Farbe eh schon fast überall getrocknet.

In der Zwischenzeit beseitigten sie alle Spuren, den Trog, die Pinsel und Oma suchte den Boden der Stallgasse nach Farbspritzern ab. Dann bürsteten sie Zitrönchen und er war nicht wiederzuerkennen.

„So ein hübsches Pferd!", schwärmte Oma, „nun braucht er nur noch einen neuen Namen!"

„Wölkchen!", beschloss Seba, „das wird den Kindern gefallen!"

Oma und Helmut stimmten ihm zu. Sie stellten Wölkchen in eine freie Box auf der anderen Seite der Stallgasse, denn es sollte nicht der geringste Verdacht entstehen. Um die Sache perfekt zu machen, verstellte Helmut Zitrönchens Trense und Sattelgurt.

Wölkchen hatte somit nachweislich nicht denselben Bauchumfang wie Zitrönchen. Sie hatten an alles gedacht, an fast alles.

Es war fast zwei Uhr, als Seba Oma nach Hause brachte. Er wollte nicht, dass Oma in der Nacht allein nach Hause lief und da er sich eh auf den Weg zum Bahnhof machen musste, um Luis abzuholen, setzte er Oma vor ihrer Tür ab.

„Es war mir ein Vergnügen, Herr Alvarez-Sanchez!", sagte Oma und reichte ihm die Hand zum Abschied.

Seba sah müde aus, aber zufrieden.

Er antwortete: „Jetzt drücken wir die Daumen, dass der Plan aufgeht."

Oma drückte seine Hand und stieg aus Sebas Auto aus.

„Das wird er", flüsterte sie und schloss leise die Autotür.

Seba fuhr in der Dunkelheit zum Bahnhof, inzwischen war es fast drei Uhr geworden.

Als er auf dem Bahnsteig ankam, sah er einen Jungen schlafend auf seinem Koffer. Er eilte zu ihm, rüttelte ihn am Arm und fragte: „Luis? Luis?" und Luis öffnete die Augen und antwortete: „Si!"

„Wie lange bist du schon hier?", fragte Seba und das Entsetzen war in seinem Gesicht nicht zu übersehen. „Ich dachte der Zug kommt um halb vier hier an?"
„Ich habe einen Zug früher genommen, ich bin schon seit ungefähr zwei Stunden hier. Habe kein Handy und das Telefon hier ist kaputt."

Luis klapperte mit den Zähnen, obwohl es eine warme Sommernacht war, aber die Müdigkeit ließ ihn frieren.

Seba zog seine Jacke aus, die zwar nur sehr dünn war, aber er legte sie Luis um, hob den Koffer hoch und sagte: „Na dann los und schnell ins Bett!"

Dann fuhren sie nach Hause, wo Luis sich mit Klamotten ins Bett fallen ließ und in Sekundenschnelle einschlief.

Seba, der einen Tee für Luis zubereitet hatte, lächelte als er Luis schlafend vorfand und flüsterte: „Gute Nacht!"

Es war gleich fünf Uhr und die Sonne ging bereits auf.

Sein Blick fiel auf sein Auto und er schlüpfte noch einmal in seine Schuhe und schlich aus dem Haus. Er hängte den Pferdehänger an, öffnete die Klappe und streute ein bisschen Stroh über die Rampe. Es sollte so aussehen, als hätte er Zitrönchen weggefahren und Wölkchen mitgebracht.

Dann fiel auch er müde und erschöpft ins Bett.

Als Seba auf den Wecker an seinem Bett blickte, erschrak er, es war fast elf Uhr. Er sprang auf, duschte und stand um fünf Minuten nach elf im Innenhof. Aber noch keines der Kinder war da und er atmete tief durch.

Im Stall traf er Helmut und flüsterte ihm im Vorbeigehen zu: „Alles gut?" und Helmut brummelte zurück: „Ja, alles gut."

Helmut hatte die Pferde bereits reingeholt und Seba ging zu Wölkchen um nach dem Rechten zu schauen.

Der Fuchs blinzelte ihn verschmitzt an und Seba zwinkerte zurück. Es war so, als hätte Wölkchen den Plan verstanden.

Seba lief zurück zu seinem Haus, um nach Luis zu sehen. Als er ins Haus kam, hörte er die Dusche laufen, was bedeutete, dass Luis aufgestanden war.

Seba deckte den Küchentisch und brutzelte ein Rührei mit Speck.

Wenig später saß er mit Luis in der Küche und fragte ihn: „Wann bist du das letzte Mal geritten?" und Luis antwortete: „Vor drei Tagen! Ich habe nebenbei in einem kleinen Stall gearbeitet und habe mich um die schwierigen Pferde gekümmert", berichtete er.

„Aha, aha, gut, das ist sehr gut!", erwiderte Seba, stellte sein Geschirr in die Spülmaschine und fragte noch einmal nach: „Schwierige Pferde bist du geritten? Was heißt das? Wie schwierig waren die?"

Luis wollte sein Geschirr ebenso in die Spülmaschine räumen, doch Seba nahm es ihm ab.

„Na…der eine war bissig, der andere war stur wie ein Esel, einer ging nicht durch eine Pfütze und einer bockte jedes Mal seinen Reiter herunter", erzählte Luis.

Sebas Augen leuchteten kurz auf. „Was hast du mit dem bockenden Pferd gemacht? Bist du runtergefallen?", fragte Seba weiter.

Luis lachte, „Ich doch nicht, ich bin seit Jahren nicht mehr vom Pferd gefallen!"

„Aha, aha, gut, das ist sehr gut!", antwortete Seba, dann wurde er sehr ernst. „Kann ich dir was anvertrauen? Ein Geheimnis? Also ein ganz ganz wichtiges Geheimnis?"

Luis machte große Augen und nickte Seba zu.

Seba sagte: „Pass auf, ich habe hier auch so ein Pferd. In jeder Stunde sind die Kinder runtergefallen. Ich bin auch von ihm runtergeflogen."

Luis zog die Augenbrauen hoch und unterbrach Seba: „Du bist auch runtergefallen?"

Seba nickte und fuhr fort.

„Es gab schon viel Ärger mit einem Vater der Kinder, aber jetzt habe ich ein Mädchen gefunden, das einen Draht zu dem Pferd hat. Sie heißt Jo. Jo ist zwar auch schon runtergefallen, aber sie freundet sich gerade mit ihm an und…"

Seba machte eine Pause und hob den rechten Zeigefinger, „sie hat keine Angst vor ihm so wie die anderen Kinder. Nun mussten wir aber irgendwas tun, sonst hätte der Vater mir den Verpächter auf den Hals gehetzt."

Luis schüttelte den Kopf und Seba erzählte weiter: „Die Großmutter von Jo und Mücke kenne ich schon sehr lange. Frau Dumont ist eine Person, der ich vertraue. Sie hat mir dabei geholfen und der Helmut auch."

Seba sah sich in seiner eigenen Küche um, als wolle er noch einmal sicherstellen, dass auch ja keiner mithörte.

Luis hörte gespannt zu.

„Wobei haben sie dir denn geholfen?", fragte Luis und Seba beugte sich über den Küchentisch und flüsterte: „Beim Anmalen!"

Luis war doch tatsächlich in der Lage, seine Augenbrauen noch höher zu ziehen als vor fünf Minuten.

„Beim Anmalen?", fragte er erstaunt und nicht unbedingt leise, woraufhin Seba sofort ein lautes „Pssssst!" über den Tisch zischte.

„Genau! Beim Anmalen."

Luis schüttelte den Kopf und hakte nach: „Ich verstehe gar nichts mehr. Was habt ihr denn um Himmels willen angemalt?"

Nun sah Seba mindestens genauso verdutzt Luis an, wie Luis ihn.

„Na das Pferd!", sagte Seba, „Wir haben das Pferd angemalt!"

Luis fiel vor lauter Schreck fast vom Stuhl. Er hielt jetzt beide Hände vor den Mund und blickte in das Gesicht seines Onkels.

Dann platzte es aus Luis heraus, er lachte und lachte, konnte kaum Luft holen und wischte sich sogar ein paar Tränen ab.

Er prustete: „Oh Mann! Der war gut! Der war wirklich gut. Ich hätte es dir fast geglaubt! Aber nur fast!", lachte Luis, doch dann sah er, dass Seba nicht lachte.

Sie blickten sich zwei Minuten lang in die Augen, ohne ein Wort zu sagen, dann fragte Luis: „Das war kein Witz, stimmt´s? Das war dein Ernst, oder?" und Seba nickte.

Luis zuckten immer wieder die Mundwinkel, aber er wollte sich das Lachen unbedingt verkneifen. Er wollte seinen Onkel nicht gleich am ersten Tag verärgern. Er holte tief Luft und fragte: „Welche Farbe?"

Seba schaute Luis an: „Henna!", antwortete er, worauf es aus Luis abermals herausschoss und so sehr er sich bemühte, er konnte sich das Lachen nicht mehr verkneifen.

„Bitte", juchzte er, „bitte… ich muss das Mama erzählen!"

Schnell beugte Seba sich wieder über den Tisch: „Das kannst du gerne machen, aber hier Luis… Luis, hör mir zu! Hier darf es keiner erfahren, ja? Keiner!"

Luis wischte sich die Tränen aus dem Gesicht und nickte.

„Du kannst dich auf mich verlassen! Wirklich!"

Dann überkam ihn jedoch der nächste Lachanfall.

Seba wirkte verzweifelt.

„Bitte Luis beruhige dich!", flehte Seba, aber das machte es nur noch schlimmer.

Luis rang nach Luft und Seba bemühte sich in einem strengen Ton zu sagen: „Gut, wenn du das so lustig findest, wirst du ihn heute Nachmittag reiten!"

Dabei wollte er auf keinen Fall der strenge Onkel sein, schließlich wollte er seinem Neffen beistehen und ihn trösten. Doch im Moment brauchte Luis keinen Trost, ganz im Gegenteil.

Er hielt sich den Bauch und versuchte ein „Geht klar!" herauszudrücken, was ihm aber nicht wirklich gelang. Er nickte Seba mehrmals zu und zeigte ihm den Daumen nach oben als Zeichen, dass er dabei wäre, aber das Lachen konnte er nicht mehr unterdrücken.

Durch das Küchenfenster sah Seba Esra und Inchi auf den Hof kommen.

Er sah Luis fest in die Augen und bettelte: „Luis bitte! Die ersten Kinder kommen. Das darf auf keinen Fall auffliegen. Komm erst raus, wenn du dich ganz sicher beruhigt hast."

Sebas Stirn war in mehrere Sorgenfalten gelegt.

„Ich habe Reitsachen für dich, sie liegen im Schrank in deinem Zimmer. Bitte, es ist ganz wichtig! Nur wir dürfen das Pferd putzen, die Kinder nicht!"

Weiter kam Seba nicht, denn der letzte Satz führte zu einer erneuten Lachattacke bei Luis.

Seba winkte ab, schob seinen Stuhl an den Tisch und verließ die Küche.

Luis gab ihm noch ein Zeichen, was soviel heißen sollte, dass er verstanden habe und hinterherkommen würde, doch das sah Seba nicht mehr.

Seba eilte nach draußen.

Inchi hatte für das Mittagessen gesorgt und breitete gerade die Frischhaltedosen auf dem Tisch im Innenhof aus.

„Buenos Dias die Damen!", rief Seba und bemühte sich sehr, sich nichts anmerken zu lassen.

„Wir essen heute etwas später, wir stellen das Essen lieber erst einmal in den Kühlschrank."

Inchi und Esra begrüßten Seba und Inchi freute sich darüber, dass Seba nicht mehr so traurig wie am Vortag wirkte. Zusammen verwahrten sie das Mittagessen im Kühlschrank in der Reiterstube.

„Wir warten auf Jo, Mücke und die Zwillinge. Samantha kommt heute nicht, aber Ole hat sich noch angemeldet", verkündete Seba, „und mein Neffe Luis ist auch angekommen und wird mitreiten."

Inchi rümpfte die Nase. Sie konnte Ole nicht ausstehen.

Ole hatte Inchi vor ein paar Jahren mit Pferdeäpfeln beworfen, das hatte sie ihm bis heute nicht verziehen.

Zusammen setzten sie sich auf die Bänke im Innenhof, als Luis aus dem Haus kam.

Die Reithose, die Seba ihm hingelegt hatte, passte wie angegossen und die neuen Stiefel blitzten.

Inchi und Esra starrten Luis an und als Luis „Buenos Dias!" sagte, boxte Inchi Esra in die Seite, damit sie antwortete und Esra boxte Inchi, was so viel heißen sollte, dass Inchi antworten sollte. Keine der beiden brachte einen Ton heraus.

Luis wandte sich an Seba: „Aber sprechen können die beiden?" und jetzt war es Seba, der herzlich lachte.

„Ja", stöhnte er, „und wie! Die können den ganzen Tag schnattern."

Inchi und Esra liefen rot an.

„Gaaar nicht!", stammelte Inchi, Esra brachte noch immer kein Wort hervor und sie war froh, dass Jo und Mücke sowie die Zwillinge gefolgt von Ole, zum Tor herein kamen.

Seba fiel das ernste Gesicht von Jo auf, die eigentlich lange überlegt hatte, ob sie überhaupt in den Stall kommt, denn sie wusste, Zitrönchen würde nicht mehr da sein.

Seba stellte vor: „Irmi, das ist Luis, Luis, das ist Irmi. Greta, das ist Luis, Luis, das ist Greta. Ole, das ist Luis, ach und Jo und Mücke kennst du auch nicht. Luis, das ist Ole, das ist Jo und das ist…"

Dann unterbrach Luis seinen Onkel: „Habe verstanden! Ich hoffe ich kann mir alle Namen merken."

Die Kinder nickten sich kurz untereinander zu, dann teilte Seba die Pferde ein.

„Esra, du reitest heute Emma, Inchi geht auf Roy, Ole nimmt am besten Trüffel, der kann auch mal wieder was tun und Irmi und Greta ihr nehmt Minka und Tinka. Die Trude wartet auf dich, Jo, und natürlich reitet Mücke wieder Kimba. Luis reitet den Neuen!"

Jo traf diese Ansage wie ein Schlag, obwohl sie sich darauf vorbereitet hatte, hatte sie trotzdem immer noch gehofft, dass es nicht so kommen würde. Aber tatsächlich war ein neues Pferd da, was bedeutete, dass Zitrönchen jetzt in dieser Schule war.

Langsam schlurfte sie zu Trude, die ihr einen freundschaftlichen Stups zur Begrüßung gab. Eigentlich ungewöhnlich, dachte Jo, so eine Begrüßung von Trude gab es noch nie.

Jo halfterte Trude auf und trat aus der Box heraus, als gerade in diesem Moment, Kimba an ihr vorbeisauste. Reflexartig schnappte Jo nach dem vorbeifliegenden Strick und es gelang ihr Kimba festzuhalten.

Mücke kam schon angehüpft und grinste: „Uuuups, er war schon wieder schneller als ich, der Schlingel!" übernahm den Strick und hüpfte neben ihm die Stallgasse entlang.

Neues Pferd, neues Glück?

Seba machte mit Luis einen Rundgang durch den Stall, um ihm zu zeigen, wo er das Putzzeug und einen Sattel fand.

Jo, die gerade versuchte Trude aus der Box zu ziehen, hörte, wie Seba zu Luis sagte: „Du kannst das Sattelzeug von Zitrönchen nehmen. Probier mal, ob es passt."

Jo stellte fest, dass Seba im Vergleich zu sonst ungewöhnlich laut sprach, aber dann dachte sie sich nichts weiter dabei.

Sie führte Trude, wie immer in Zeitlupe, in den Innenhof zum Putzen.

Dort standen schon Inchi und Esra mit ihren Pferden, jedoch dachten sie nicht ans Bürsten der Pferde, sie waren eher damit beschäftigt ihre Haare in Form zu bringen.

„Der ist ja voll süüüüß!", quietschte Inchi und Esra erwiderte: „Oh jaaaaaa, sehr sehr süüüüß!"

Mücke sah Jo an und Jo verdrehte kurz die Augen.

Jo hatte gesehen, dass Luis blank polierte Reitstiefel trug, aber dass er so „süüüß" war, war ihr entgangen. Außerdem sollte er das neue Pferd reiten, und das wollte sie sich erst recht nicht anschauen.

Ole, der im selben Alter wie Mücke war, stellte eine Frage nach der anderen.

„Wie lange seid ihr schon hier?"

„Seit dem ersten Ferientag", antwortete Mücke.

„Könnt ihr schon reiten?"

„Jetzt auf jeden Fall schon besser als am Anfang", erklärte Mücke und fragte zurück: „Kannst du denn reiten?"

Und bevor Ole antworten konnte, mischte Inchi sich ein: „Ole?", sie lachte hämisch, „Ole wird mal Cowboy!"

Ole kniff die Augen etwas zusammen und warf Inchi einen drohenden Blick zu, woraufhin Inchi ihm die Zunge herausstreckte und sich erneut über ihn amüsierte.

Ole fuhr mit seiner Fragestunde fort:

„Wen seid ihr in der Zeit schon geritten?" und Mücke bemühte sich nicht zu genervt zu antworten:

„Ich durfte bisher jeden Tag Kimba reiten. Jo ist bisher Trude geritten, aber sie durfte zwei Mal Zitrönchen reiten."

„Zwei Mal?", warf Esra ein und Jo, die gerade in der Hocke saß und Trude den Sand von den Hufen bürstete, suchte unter dem Bauch von Trude durch, Blickkontakt mit Mücke.

Mücke empfing den strengen Große-Schwestern-Blick und korrigierte sich gekonnt: „Einmal vor dem Runterfallen und einmal nach dem Runterfallen!"

Da musste selbst Jo lachen. Sie war froh, dass die letzte Reitstunde auf Zitrönchen ihr kleines Geheimnis blieb.

Ole wendete sich an Jo: „Du bist von Zitrönchen gefallen?", wartete aber nicht auf ihre Antwort und fügte hinzu:

„Wer ist das nicht? Wir alle sind schon von diesem Gaul runtergefallen. Ich bin froh, dass der weg ist."

Woraufhin Esra und Inchi ihm mit einem „Ich auch!" zustimmten.

Jo hingegen stiegen die Tränen in die Augen und sie drehte sich von den anderen Kindern weg, bis sie wieder verschwunden waren. Mit einem dicken Kloß im Hals und einem bleischweren Schmetterling im Magen, machte sie sich an Trudes Mähne, die eigentlich kaum zu bändigen war.

Mücke sah ein paar Mal besorgt zu ihrer Schwester herüber, sie wusste, wie schwer Jo dieser Tag fiel und sie konnte ihr nicht wirklich helfen.

Jo hatte gerade den Sattelgurt um Trudes Bauch gezogen, als sie die Stimmen von Seba und Luis hörte. Das Hufgeklapper verriet ihr, dass sie auf dem Weg in die Halle waren. Mit dem neuen Pferd!

Eigentlich hatte sie sich fest vorgenommen, das neue Pferd nicht zu beachten, aber da sie aus den Augenwinkeln heraus ein rotes Leuchten wahrnahm, schaute sie kurz auf.

In diesem Moment schaute das Pferd zu ihr herüber und wieherte aus vollem Hals.

Jo kniff die Augen zusammen, ähnlich wie Ole zuvor, und dachte, was für ein leuchtendes Rot.

Sie wandte sich von dem Pferd ab und sagte zu Mücke: „Na, das ist ja mal eine Farbe, die kannst du in deine Sammlung aufnehmen."

Mücke verstand nicht sofort und Jo fügte hinzu: „Zu deinen braunen Rappen die Roooootfüchse jagen…" und Mücke verstand.

„Ich habe ja gesagt, heute gibt es viel mehr Farben als früher!", antwortete Mücke.

„Aber diese Farbe ist wirklich sehr …", Mücke zögerte kurz, „rot!"

Trude war mal wieder die Letzte, die in die Halle kam und sie musste sich direkt neben das neue Pferd stellen.

Luis saß schon auf dem Pferd und Seba stellte noch die Trense passend ein. Luis lächelte von diesem Pferd aus auf Jo herab, die sich fragte, ob er sie gerade müde belächelte, weil sie Trude hinter sich herzog.

Wölkchen wieherte erneut, als Jo gerade aufsteigen wollte, sie erschrak und verfehlte mit ihrem Stiefel den Steigbügel.

Für einen Moment hatte sie tatsächlich gedacht, das Wiehern klang wie das von Zitrönchen. Sie verwarf aber den Gedanken sofort wieder, als Seba an Trude herantrat und laut sagte: „Haha, das Wölkchen mag wohl die Trude!"

Jo sah Seba fragend an. Eigentlich wollte sie sauer auf ihn sein und sich nicht großartig mit ihm unterhalten.

Aber Seba antwortete auf Jos fragenden Blick: „Der wiehert die Trude doch dauernd an" und Jo bemühte sich um ein kurzes Lächeln.

„Luis, du machst den Anfang, aber pass auf, wir kennen das Pferd noch nicht!", betonte Seba ungewöhnlich laut, woraufhin Luis und Wölkchen sich in Bewegung setzten.

Jo korrigierte ihre Steigbügellänge noch einmal, sie und Trude gingen ja sowieso immer ans Ende und so war es dieses Mal auch.

Heute gefiel ihr der letzte Platz in der Abteilung sehr gut. Sie hatte die gesamte Abteilung im Blick und konnte heute einfach hinterher trödeln. Sie musste nicht sonderlich auf Trude achten, denn Trude achtete selbst darauf, dass sie bloß keinen Schritt zu viel machte und vor allem keinen Schritt schneller als nötig.

Sie stellte sich gerade vor, wie es aussehen würde, wenn Trude einen Bocksprung machen würde, aber das war wirklich unvorstellbar. Jo war sich sicher, dass Trude niemals zu solch einer Bewegung fähig wäre.

Jo ließ sich von Trude durch die Halle tragen, Jo brauchte sie nur vorwärts treiben, wobei Seba unterstützte, indem er zwei Schritte auf Trude zulief und sie deshalb ein wenig das Tempo beschleunigte.

„Abteilung", Seba holte tief Luft, „im Arbeitstempo Teeerab!" und wie immer trabten alle anderen schon und es dauerte ein paar Minuten, bis das Kommando auch bei Trude angekommen war.

Es war nicht so, dass Jo kein Verständnis für Trude hatte, nein, das hatte sie. Wenn sie die Abteilung vor sich so betrachtete, dachte sie, dass so ein Leben als Schulpferd bestimmt eher langweilig war, zumindest für so ein Pferd wie Trude.

Jo fiel auf, dass Trude Tag ein, Tag aus, mit Anfängern im Kreis lief und sie dachte, dass sie auch so werden würde wie Trude, wenn sie ein Schulpferd wäre.

Aber umso mehr sie darüber nachdachte, war sie sich sicher, dass sie so werden würde wie Zitrönchen.

Die Vorstellung als Pferd durch die Bahn zu bocken, gefiel ihr aus Pferdesicht sehr. Es wäre auf jeden Fall nie langweilig.

Jo hatte diesen Satz gerade zu Ende gedacht, als sie ein lautes Quietschen vernahm. Sie schaute hoch und sah, wie das rote Pferd einen gewaltigen Bocksprung machte.

Luis schien im Sattel zu kleben, er fiel weder nach vorn, noch nach hinten und es gelang ihm blitzschnell die Zügel nachzufassen.

Es sah so aus, als würde er Wölkchen mit Absicht vorwärts treiben.

Seba rief erschrocken: „Abteilung Haaaalt!", nickte jedoch Luis zu und Luis drückte die Waden erneut an den Bauch von Wölkchen, der wie angestochen nach vorne sprang. Luis trieb ihn weiter und weiter vorwärts. Jo fiel auf, dass er anscheinend ganz gelassen blieb, ängstlich sah er jedenfalls nicht aus. Luis galoppierte Wölkchen immer wieder erneut an und jedes Mal, wenn er einen Ansatz zum Bocken machte, trieb Luis ihn weiter nach vorn, wodurch er keinesfalls schneller wurde, aber die Galoppsprünge wurden kräftiger und ergriffen mehr Raum.

Die anderen Kinder saßen mit weit geöffneten Mündern auf ihren Pferden. Luis galoppierte schließlich auf dem Zirkel mehrere Runden und es sah so aus, als würde Wölkchen sich entspannen, denn er galoppierte immer ruhiger und schließlich schnaubte er mehrmals ab, woraufhin Luis das Pferd mit sanfter Stimme lobte.

Also reiten kann der, dachte Jo.

Luis setzte sich wieder an die Spitze und Seba gab erneut das Kommando zum Antraben.

„Anscheinend hat sich Wölkchen nur erschrocken", sagte Seba und das dachte Jo sich auch, denn Wölkchen lief für den Rest der Stunde ganz brav vorne weg.

Als die Stunde beendet war, klopfte Jo Trude am Hals, irgendwie mochte Jo sie ja. Schließlich erlaubte Trude ihr, auf ihrem Rücken hin und her zu wackeln und kam nicht auf die Idee sie abzuwerfen.

Bis sie so sitzen würde wie Luis, war es jedoch noch ein weiter Weg, dachte sich Jo.

Nachdem Jo Trude versorgt hatte, fiel ihr Blick auf die leere Box am Ende der Stallgasse.

Sie hasste inzwischen diesen Schmetterling, der sich in solchen Momenten theatralisch auf den Boden ihres Magens warf und sich schwer wie Blei machte.

Sie schlurfte zu Mücke, um ihr mitzuteilen, dass sie nach Hause gehen wolle.

Mücke schüttelte den Kopf und antwortete: „Nein, wir können nicht nach Hause. Ich habe eben gehört, wie Seba sagte, dass Samantha heute schon mit ihrem neuen Pferd kommt. Das müssen wir uns unbedingt ansehen!"

Jo rümpfte die Nase. „Ooch, ich muss mir das nicht unbedingt ansehen."

„Biiiiiitte!", bettelte Mücke und Jo gab nach, natürlich war auch sie auf Samanthas neues Pferd gespannt.

Jo und Mücke setzten sich zu den anderen in den Innenhof.

Irmi und Greta deckten den Tisch und stellten eine große Schüssel Milchreis auf den Tisch.

Das hob tatsächlich Jos Stimmung ein klein wenig an, denn Jo liebte Milchreis.

Inchi und Esra hatten ihre Scheu überwunden und quetschten Luis aus. Sie wollten wissen, wo er denn so gut reiten gelernt hätte und Luis erzählte, dass er, als er noch klein war, auch bei Seba mit dem Reiten angefangen hatte.

Es war anstrengend zuzuhören, fand Jo, denn nach jedem Satz wiederholten Inchi oder Esra die letzten Worte von Luis.

„Ja und dann zogen wir eines Tages wieder zurück nach Spanien", berichtete Luis und Inchi fragte: „Ach, nach Spanien, ja?"

Oder als Luis erzählte: „Ich sollte dann zu einem bissigen Pferd in die Box gehen" und Esra fragte: „Ach, zu einem bissigen Pferd, ja?"

Luis erwähnte auch: „Meine Mutter wurde sehr krank", worauf Inchi dann fragte: „Ach, sehr krank, ja?"

Jo und Mücke tauschten Blicke aus. Das war der Vorteil, wenn man eine Schwester besaß, man verstand sich manchmal auch ohne viele Worte.

Mücke verdrehte mit Absicht die Augen, schnitt Grimassen und versuchte ein lustiges Gesicht zu machen, was ihr auch gelang, denn Jo musste grinsen.

Luis, der neben Mücke saß, fragte: „Ey, Mosquito, wie alt bist du?"

Mücke fuhr zusammen. Bevor sie jedoch antworten konnte, rief Inchi: „Mosikoto was?" und Luis begann zu grinsen.

Seba mischte sich ein: „M o s q u i t o!", wiederholte er, „Das ist das spanische Wort für Mücke!"

Mücke, wusste nicht genau, ob ihr das gefiel, aber Luis zwinkerte ihr freundlich zu, was auch Inchi und Esra nicht verborgen blieb.

„Du bist sehr gut geritten!", sagte Luis. „Ich habe auch auf Kimba reiten gelernt, damals lief er aber nicht so gut, wie bei dir."

„Oh ja", warf Seba ein, „Mücke hat den alten Herrn ganz gut im Griff."

In diesem Moment fuhr ein schwarzer Geländewagen mit einem schwarzen Anhänger vor das Tor.

„Passendes Outfit zum schwarzen Pferd!", entwischte es einer der Zwillinge.

Seba lief Herrn Wüstenhagen entgegen, um das Tor zu öffnen.

Jo staunte. Obwohl Herr Wüstenhagen ihn erst vor wenigen Tagen bis auf das Äußerste beschimpft hatte, war Seba am nächsten Tag immer wieder freundlich.

„Buenos dias!", Seba schüttelte Herrn Wüstenhagen die Hand.

Samantha hüpfte aus dem Auto und kommandierte: „Seba, du kannst schon mal mein Pferd abladen!"

Herr Wüstenhagen erwiderte jedoch umgehend, dass sie dabei helfen solle, schließlich wäre es ja ihr Pferd.

Samantha verzog das Gesicht und krabbelte in den Anhänger.

Inchi, Esra, Ole und die Zwillinge sowie natürlich auch Jo und Mücke hatten sich in eine Position gebracht, von der aus sie das Spektakel gut mit ansehen konnten.

Luis war inzwischen zum Tor gelaufen, um seinem Onkel zu helfen.

Luis und Seba ließen die Rampe des Pferdetransporters herunter und ein großes schwarzes Pferd polterte die Rampe heraus. Es hatte eine lange gewellte Mähne und auch um alle vier Füße herum trug er so eine Art Winterboots.

„Oh, sehr groß!", bemerkte auch Seba.

„Das ist Johann Sebastian von Goethe", stellte Samantha stolz vor, wurde jedoch umgehend von ihrem Vater unterbrochen: „Wolfgang!"

„Wolfgang?", Samantha sah ihren Vater mit großen Augen an.

„Er heißt Wolfgang!", erklärte Herr Wüstenhagen.

„Nein, Tante Helga hat gesagt, er heißt „Goethe", erwiderte Samantha, als ob sie es hundertprozentig besser wüsste.

Jetzt verzog Herr Wüstenhagen das Gesicht und rollte mit den Augen.

„Sam, trotzdem heißt er Wolfgang und nicht Sebastian!"

Samantha zog eine Flunsch, wie Mücke, als sie drei Jahre alt war.

„Ich wollte ihn aber Basti nennen!", protestierte sie laut.

Sichtlich mit den Nerven am Ende, winkte Herr Wüstenhagen ab.

„Nenne ihn, wie du willst, aber sein richtiger Name ist Johann Wolfgang von Goethe."

Seba öffnete das Tor weit und während das schwarze Pferd einen Schritt machte, machte Samantha drei. Goethe stolzierte erhobenen Hauptes durch das Tor und steuerte geradewegs auf den Tisch im Innenhof zu.

Samantha begann zu quietschen, als sie merkte, dass sie ihn nicht mehr festhalten konnte.

Durch das Quietschen angespornt, verlängerten sich Goethes Schritte um das Doppelte.

Inchi, Esra und die Zwillinge sprangen auf, als Goethe fast den Tisch erreicht hatte.

Die Augen von Jo, Mücke und Ole, die bereits hinter dem Tisch standen, wurden immer größer.

Auch Pastor und Lasse, die sich neben dem Tisch vom Toben ausruhten, sprangen erschrocken auf und bellten Goethe an.

Seba und Luis liefen hinter Goethe her, doch es war schon zu spät.

Goethe steckte mit der Nase in der Milchreisschüssel und verschlang gierig den Milchreis. Er schmatzte laut und verteilte den Milchreis über den gesamten Tisch.

Samantha war zur Seite gehüpft, doch Luis konnte den Führstrick greifen. Er drückte Goethe energisch und bestimmt rückwärts, drehte ihn wortlos um und führte ihn dann in den Stall.

„Madre mia!", rief Seba. „Das kann ja was werden!"

Das konnte es in der Tat.

Herr Wüstenhagen zog Samantha am Arm hinter sich her in den Stall hinein. „Du wolltest das Pferd! Jetzt kümmerst du dich auch darum! Das geht ja schon gut los! Kaum angekommen, müssen andere für dich arbeiten!", schimpfte er, und das erste Mal war Herr Wüstenhagen Jo und Mücke sympathisch.

Erstaunlicherweise gab es auch keine weiteren Proteste, weil Goethe nicht die Außenbox bekam.

„Luis, der kommt in die letzte Box auf der rechten Seite!",
hörte Jo Seba durch den Stall rufen.

Die letzte Box auf der rechten Seite? Aber das war doch
Zitrönchens Box! Das konnte nicht sein.

„Ich gehe jetzt nach Hause!", entschied Jo, griff sich ihren
Rucksack und marschierte los.

„Warte! Ich komme mit!", rief Mücke und pfiff nach Lasse,
doch Jo wartete nicht und Mücke und Lasse rannten ihr
hinterher.

Auf dem Weg nach Hause, versuchte Mücke Jo aufzumun-
tern. „Wie findest du Samanthas Pferd?"

Jo zuckte mit den Schultern und antwortete nicht.

„Das muss ich Oma erzählen!", Mücke grinste, aber dann
zog sie die Stirn kraus.

„Warum Herr Wüstenhagen Samantha einfach so ein
Pferd kauft, versteh ich nicht."

„Ja, Samantha hat wirklich Glück!", antwortete Jo leise.

Mücke hüpfte beim Laufen auf und ab.

„Ob das Glück ist, wird sich zeigen!", erwiderte Mücke
und umfasste den Arm von Jo und drückte ihn an sich.

Als sie zu Hause ankamen, saß Oma auf der Terrasse in der
Sonne und las ihr Buch. Sie legte es beiseite, als Jo und Mücke sich zu ihr an den Tisch setzten.

„Nanu, ihr seid schon zu Hause?", fragte Oma und erkannte das traurige Gesicht von Jo. Ihr schlechtes Gewissen
ließ jedoch nicht zu, dass sie wegen Zitrönchen jetzt noch
weitere Fragen stellte.

Mücke holte tief Luft: „Oma, du glaubst gar nicht, was
heute alles passiert ist. Ein neues Pferd ist da, ein knallrotes,
also ein Rotfuchs", Oma verschluckte sich fast an ihrem
Wasser, bemühte sich aber, sich nichts anmerken zu lassen

und tat so, als würde sie interessiert Mückes Worten lauschen. Das schlechte Gewissen und das traurige Gesicht von Jo sorgten jedoch dafür, dass Oma sich nur schwer auf Mückes Erzählung konzentrieren konnte.

Das bemerkte auch Mücke. Sie rüttelte Oma kurz am Arm: „Ooooma, hör zu!"

Oma nickte, setzte sich aufrecht hin und schaute Mücke gespannt an.

„Also, der Rotfuchs heißt Wölkchen und Luis ist ihn geritten und er hat auch gebockt, aber nur kurz. Der Luis kann richtig gut reiten. Seba glaubt, dass Wölkchen sich nur erschrocken hat, er kennt die Umgebung und unsere Halle auch noch nicht!", sprudelte es aus Mücke heraus.

Oma nickte wieder und Jo fiel auf, dass Oma irgendetwas unangenehm war, aber sie wusste nicht was.

Mücke fuhr fort: „Kimba war auch ganz lieb und stell dir vor, Luis hat auch auf ihm reiten gelernt vor ein paar Jahren. Und dann kam Samanthas Pferd und Oma, das war wirklich großartig!"

Mückes Augen funkelten.

„Samantha wollte ihr Pferd Basti nennen, weil es Sebastian Dingsbums heißt. Aber Samanthas Vater wollte, dass es Wolfgang Dingsbums heißt. Und als Samantha mit diesem Wolfgang oder Sebastian auf den Hof kam, hat er den ganzen Milchreis aufgefressen!"

Jetzt konnte Jo sich das Lachen wirklich nicht mehr verkneifen und Oma schaute vom einen zum anderen.

„Ich verstehe nur Bahnhof!", sagte sie und Jo erklärte es noch einmal.

„Samantha stellte ihr Pferd als Johann Sebastian von Goethe vor, woraufhin Samanthas Vater versuchte ihr mitzuteilen, dass der richtige Name Johann Wolfgang von Goethe ist. Aber das hat Samantha, glaube ich, nicht verstanden!" Oma hielt kurz die Hände vors Gesicht und lachte nun auch.

„Wer ist dieser Goethe?", fragte Mücke und Jo antwortete: „Ein Schriftsteller aus Omas Zeit!", woraufhin Oma erschrocken hoch guckte und erwiderte: „Er war ein Dichter und er lebte weit weit vor meiner Zeit!", lachte Oma.

Jo erzählte, wie Goethe über den Milchreis herfiel, woraufhin Oma die Tränen liefen.

Als Jo an diesem Abend in ihrem Bett lag, schaute sie auf das Bild von sich und Zitrönchen. Sie sah ihn sich genau an.

Er hatte eine wunderschöne lange Mähne, die wie echtes Silber in der Sonne schillerte. Sie bewunderte Zitrönchens lange Wimpern und versuchte sie zu zählen, aber es waren zu viele, einfach zu viele.

Sie nahm das Bild in den Arm und dachte an Samantha, die nun ihr eigenes Pferd im Stall hatte.

Jo malte sich Bilder aus, Bilder, die zeigten, wie Zitrönchen vom Pferdeanhänger kam und sie ihn in Empfang nahm. Sie stellte sich vor, wie es wäre, wenn Zitrönchen ihr eigenes Pferd sei. Jeden Tag würde sie ihm Möhren bringen und Äpfel oder auch mal eine Banane. Sie würde ihn jeden Tag bürsten und sie würde auch seinen Stall ausmisten. Sie sah sich auf ihm sitzend über die Wiesen galoppieren, bis die Bilder verschwammen und sie einschlief.

Bauchschmerzen

In den nächsten Tagen ging Jo nicht in den Stall. Sie gab vor, Kopfschmerzen zu haben, aber jeder wusste, dass Kopfschmerzen nicht wirklich der Grund waren.

Wenn Mücke am späten Nachmittag nach Hause kam, sog Jo, trotzdem sie nicht in den Stall wollte, jedes Wort in sich auf.

Mücke berichtete, dass Samanthas Pferd ein Friese sei und dass er beim Reiten sehr brav wäre, aber wenn Samantha ihn führe, er durchaus seinen eigenen Kopf habe.

„Stell dir vor, Goethe wollte mit der Nase in den Futterwagen und Samantha wollte es ihm verbieten. Sie stellte sich vor ihn und hob einen Finger und sagte laut „Nein!", aber das interessierte ihn gar nicht. Er schubste sie einfach um, sie fiel rückwärts in den Futterwagen und er fraß mit großem Appetit, um sie herum."

Jo war schon ein bisschen traurig, dass sie das verpasst hatte.

Mücke erzählte weiter: „Dieser Rotfuchs, also das Wölkchen, ist auch ganz brav, sieht toll aus, wenn Luis ihn reitet."

Mücke holte kurz Luft. „Jo, du musst morgen wieder mitkommen. Wir wollen doch in der nächsten Woche ausreiten und Seba sagte heute, dass er nur sattelfeste Reiter mitnehmen kann."

Jo hob die Augenbrauen hoch. Stimmt, der Ausritt, dachte Jo. Ja, den wollte sie auf keinen Fall verpassen.

„Samantha darf mit ihrem neuen Pferd nicht mit. Seba sagt, Samantha soll Goethe erst einmal besser kennenlernen", fuhr Mücke weiter fort. „Und Luis kommt wohl auch nicht mit, weil einer auf dem Hof bleiben muss. Die Zwillinge sind im Urlaub und Ole kann auch nicht. Nun sind wir nur noch fünf, mit dir, Jo!"

Mücke setzte jetzt ihre stärkste Waffe ein, sie benutzte sie nicht oft, aber wenn, dann war das ein echter Notfall. Sie setzte ein herzzerreißendes Kleine-Schwestern-Gesicht auf und blinzelte mit ihren runden Kulleraugen.

Jo begann zu grinsen. Sie wollte sich das eigentlich verkneifen, aber Mücke legte noch einmal nach: „Biiiiiitte!", bettelte sie und Jo gab sich geschlagen: „Okay, okay, du hast gewonnen!" und Mücke fiel ihrer großen Schwester um den Hals und drückte sie fest.

Am nächsten Tag liefen sie zusammen in den Stall.

Seba eilte auf Jo zu und begrüßte sie: „Buenos Dias Jo!"

Er schien sichtlich erfreut und scherzte: „Ich hatte schon Angst, dass du keine Pferde mehr magst!"

Jo fand darauf so schnell keine Worte, was für ein blöder Witz! Natürlich mochte sie Pferde und wie sie Pferde mochte und eines ganz besonders, aber darüber wollte sie nicht mit Seba reden.

„Luis und ich kochen heute! Es gibt Tortilla! Außerdem wollen wir unseren Ausritt planen. Bist du dabei Jo?", fragte Seba und Jo nickte.

„Wuuunderbar!", rief Seba erfreut. Irgendwie schien er auch erleichtert zu sein, dass Jo wieder da war.

Inchi und Jo saßen schon auf den Bänken im Innenhof und putzten die Trensen und Sättel der Schulpferde.

Jo und Mücke gesellten sich dazu und ließen sich von Inchi zeigen, wie das Leder gereinigt und anschließend eingefettet wird.

„Ich putzte den Sattel von Kimba!", rief Mücke und kurze Zeit später saßen sie alle zusammen und polierten die Sättel.

Luis kam mit Wölkchen aus der Halle, keines der Mädels hatte zuvor bemerkt, dass die beiden in der Halle waren.

Inchi jammerte: „Manno! Ich hätte so gerne zugeschaut!"

Seba, der gerade weitere Sättel ablegte, erwiderte: „Das Wölkchen läuft sehr sehr gut. Ich denke, er ist soweit, dass er auch von euch geritten werden kann. Wie wäre es heute Nachmittag mit dir Inchi?"

Inchi sprang vor Freude auf und stieß dabei einen Wassereimer um, woraufhin Esra laut fluchte.

„Aber erst die Arbeit, dann gibt es etwas Anständiges zu essen und dann wird geritten!", befahl Seba und Inchi eilte zum Wasserhahn, um neues Wasser zu holen.

Luis stellte Wölkchen nach dem Ritt noch einmal zurück auf die Weide.

Jo, die gerade auf der Suche nach einem eigenen Eimer war, sah, wie Wölkchen ans andere Ende der Wiese galoppierte und abseits von den anderen Pferden, das Grasen begann.

Komisch, dachte Jo, aber sie fand die Erklärung für dieses Verhalten darin, dass Wölkchen eben noch nicht so lange im Stall war und daher auch noch keine wirklichen Pferdefreunde hatte.

Luis saß auf dem Zaun und sah, wie Jo nach etwas suchte. „Hey Jo!", er machte eine Handbewegung, die zeigen sollte, dass sie zu ihm rüber kommen sollte.

Obwohl Jo das genau verstand, hob sie nur kurz die Hand, was einer knappen Begrüßung gleich kam, dann wandte sie sich ab und sah sich nach einem Eimer um.

„Was suchst du?", rief Luis.

„Einen Eimer", antwortete Jo nur halb so laut.

„Was?"

Das heißt „Wie bitte", dachte Jo und drehte sich um, um wieder in den Stall zurück zu laufen. Nun hörte sie die Stimme von Luis direkt hinter sich.

„Kann ich dir helfen?", fragte er freundlich und Jo murmelte ohne sich umzudrehen: „Danke, ich suche nur einen Eimer!"

„Ich bringe dir gleich einen", bot Luis an, „ich möchte dich aber vorher etwas fragen. Vielleicht kannst du mir helfen."

Jo drehte sich zu ihm um und zog die Augenbrauen hoch und sah ihn erwartungsvoll an.

Luis zögerte und Jo fragte nach: „Worum geht's?"

„Also", Luis wirkte auf einmal etwas unsicher, „ich habe gehört, dass du dich mit Zitrönchen angefreundet hast", sagte Luis und ohne dass Jo einen Einfluss darauf hatte, erwachte der Schmetterling aus seinem Tiefschlaf.

„Du kennst Zitrönchen nicht!", erwiderte Jo. Ihr Ton klang etwas scharf, dabei wollte sie nicht unfreundlich sein.

„Nein, ich kenne ihn nicht. Aber ich habe gehört, dass er ein sehr schwieriges Pferd war und ..."

Jo musterte Luis kritisch, was sollte das denn jetzt werden, dachte sie.

„Weißt du...", Luis stockte schon wieder. „Ich finde halt gerne heraus, warum das Pferd so schwierig ist."

„Aber Zitrönchen ist nicht hier. Seba hat ihn an dem Tag, an dem du angekommen bist, weggebracht und Wölkchen ist sein Ersatz..." Jos Stimme erstickte.

Sie sah Luis fragend an und verstand nicht, warum er jetzt mit ihr diese Art von Unterhaltung führen wollte.

Luis bemerkte, dass er anscheinend einen wunden Punkt traf und startete einen neuen Versuch.

„Magst du mir von ihm erzählen?"

Jo runzelte die Stirn, nein, das wollte sie nicht und ihm schon gar nicht. Warum fragte er auch ausgerechnet sie, sollte er doch Inchi oder Esra fragen. Die würden es ihm sicher gern erzählen.

Sie atmete tief durch und antwortete entschieden: „Nein, das möchte ich nicht!", dann drehte sie sich um und lief in den Stall, erhaschte einen Eimer und kehrte zurück in den Innenhof.

Als Luis wenig später dazu kam, schaute Jo nicht hoch, sie versuchte krampfhaft nicht an Zitrönchen zu denken, auf keinen Fall wollte sie jetzt an sein goldiges Fell denken, an seine weiche Nase oder an die letzte Reitstunde auf ihm. Es half alles nichts, sie spürte seinen Bauch an ihrer Wade, obwohl sie auf einer Holzbank saß und einen Sattel putzte.

Inchi und Esra klangen inzwischen schon sehr vertraut mit Luis und auch Mücke plauderte mit ihm, wie mit einem guten Freund.

Jo fiel auf, dass Luis sich Mücke gegenüber sehr freundlich und vor allem hilfsbereit zeigte, wie ein großer Bruder.

Mit Inchi und Esra ging er eher locker um und machte Späße.

Inchi verkündete Luis, dass sie am Nachmittag Wölkchen reiten sollte und nun wollte sie von ihm wissen, ob sie was zu beachten hätte.

Luis hatte jedoch dazu nur wenig zu sagen, er antwortete kurz: „Konzentriere dich auf ihn und reite ihn!"

„Ist schon klar, dass ich nicht nebenher laufe!", flappste Inchi zurück, aber so meinte Luis das nicht und das verstand auch Jo.

Ohne ihn anzusehen, dachte sie über seine Worte nach. „Reite ihn!" klang es in ihren Ohren nach und sie wusste genau, was er damit meinte.

Wenig später verschwand Luis mit Seba in der Küche und Jo, Mücke, Esra und Inchi machten sich an die letzten Sättel und Trensen, als sie sahen, dass Samantha durch das Tor gelaufen kam.

Sie war nicht allein. Auf den ersten Blick erkannte keines der Mädels den Mann in Reithosen, der neben ihr lief.

Mücke fragte: „Wer ist denn das?" und als Samantha und der Mann näher kamen, erkannten sie, das war Herr Wüstenhagen!

Inchi rutschte heraus: „Herr Wüstenhagen! Sie in Reithosen?"

Herr Wüstenhagen wollte gerade darauf antworten, doch Samantha schaute Jo über die Schulter und fragte: „Was macht ihr denn da? Gibt es dafür keine Leute hier, die das machen?"

Jo fiel der Schwamm in den Eimer und es platschte leicht.

Obwohl Samantha weit entfernt von Jos Eimer stand, hüpfte sie hysterisch zur Seite und schrie: „Pfui Teufel! Pass doch auf mit deinem Dreckswasser!"

Herr Wüstenhagen stöhnte, er wirkte jetzt schon sichtlich überfordert. „Samantha, du stehst mindestens drei Meter entfernt und das gehört dazu! Es würde nicht schaden, wenn du Goethes Sattel auch mal pflegen würdest."

Schnippisch streckte Samantha die Nase in die Luft und verschränkte bockig die Arme vor sich.

„Ich mache es ja nicht dreckig!", erwiderte sie und sah ihren Vater herausfordernd an.

„Möchten Sie reiten?", fragte Esra freundlich und es schien so, als würde Herr Wüstenhagen sich über Esras Interesse freuen, denn er antwortete: „Ich möchte es versuchen, ich hoffe ihr steht mir bei!" Dabei sah er aufmunternd in die Runde.

„Ich habe mir heute frei genommen, um mehr Zeit mit Samantha zu verbringen", erklärte er.

„Die Firma spannt mich ja ziemlich ein und Samantha kommt dauernd zu kurz", fuhr er fort, wurde jedoch von Samantha unterbrochen, die über die Plauderei ihres Vaters mit den anderen Mädchen nicht zufrieden war.

„Komm jetzt Papa!", befahl sie und Herr Wüstenhagen eilte Samantha hinterher in den Stall.

„Der kann ja richtig nett sein!", fand Mücke und die anderen nickten.

Die Sättel und Trensen blitzten in der Sonne. Esra, Inchi, Jo und Mücke räumten das Putzzeug beiseite und bereiteten den Tisch für das Mittagessen vor.

Luis und Seba servierten feierlich die selbstgemachte Tortilla, die so herrlich nach Ei und Kartoffeln roch. Gerade als Seba die Teller füllte, sahen sie, wie Samantha mit Goethe zur Halle ging.

Seba hielt gerade Jos Teller in der Hand und lachte: „Ha, ich habe gerade für einen Moment geglaubt, ich hätte Herrn Wüstenhagen in Reithosen gesehen."

Es wurde verdächtig still am Tisch, die Mädels sahen Seba an und Seba sah in die Gesichter der Mädels.

„Sagt mir bitte jetzt, dass das nicht wahr ist", sprach er leise und Inchi antwortete: „Herr Wüstenhagen will auf Goethe reiten!"

Seba ließ beinahe den Teller fallen, fiel beinahe über die Bank und eilte in großen Schritten zur Reithalle.

Die anderen schauten sich kurz an, sprangen dann auf und stürmten zur Tribüne.

Jo sah als erste, wie Samantha und ihr Vater die große Feuerleiter an Goethe anlehnten.

Seba, der zur Hallentür herein kam, sah für einen Moment aus, als treffe ihn der Schlag.

„Um Gottes willen!", rief er. „Was soll das werden?"

Er eilte auf Samantha, Herrn Wüstenhagen und Goethe zu.

Genervt rollte Samantha mit den Augen: „Was wohl?", konterte sie zurück. „Mein Vater lernt reiten!"

Herr Wüstenhagen, der bereits einen Fuß auf die unterste Leitersprosse stellte, setzte den Fuß wieder runter auf den Boden und schien sichtlich erleichtert bei Sebas Anblick.

„Aber was zum Teufel, Samantha, was machst du mit der Feuerleiter?"

Auch dafür hatte Samantha sofort eine Antwort parat.

„Mein Vater hat eine neue Reithose und kommt nicht mit dem Fuß in den Steigbügel!"

Das war Herrn Wüstenhagen sichtlich unangenehm, er versuchte Seba zu erklären: „Naja, ich dachte, bevor die Hose reißt, nehme ich lieber eine Leiter."

„Madre mia!", rief Seba entsetzt.

„Sie können von Glück sagen, dass Goethe so artig ist. Ihre Reithose interessiert mich überhaupt nicht. Wissen sie denn nicht, was hätte passieren können?" Sebas Entsetzen war deutlich in seiner Stimme zu hören.

„Es ist doch überhaupt nichts passiert!", protestierte Samantha. „Ich kann meinen Vater ja schlecht aufs Pferd heben!"

Seba ergriff die Leiter und hängte sie zurück in die Vorrichtung.

„Das ist eine Feuerleiter Samantha! Dein Vater hätte sich das Genick brechen können oder das Pferd hätte sich an der Leiter verletzen können." Seba schimpfte sehr und man sah, dass es ihm sehr schwer fiel, sich zu beruhigen.

„Herr Wüstenhagen, wenn Sie reiten lernen wollen, freue ich mich sehr. Aber bitte bitte, machen Sie das mit mir! Wir finden für alles eine Lösung, aber versprechen Sie mir bitte, dass Sie nie wieder versuchen werden, mit einer Leiter auf ein Pferd zu steigen!"

Inzwischen wirkte Herr Wüstenhagen sehr kleinlaut, doch bevor er etwas sagen konnte, warf Samantha ein: „Willst du nun reiten oder nicht?", der Ton ihrem Vater gegenüber war scharf.

Herr Wüstenhagen konnte nicht antworten, denn Seba antwortete: „Nein Samantha, bitte lass uns das in Ruhe planen!"

Seba wandte sich an Herrn Wüstenhagen: „Kommen Sie, lassen Sie Ihre Tochter das Pferd heute reiten, essen Sie mit uns und wir besprechen das!"

Herr Wüstenhagen schien begeistert von Sebas Vorschlag zu sein, er willigte sofort ein, woraufhin Samantha beleidigt auf Goethe aufstieg.

Sie ritt in Richtung Tribüne und sah in die Gesichter der anderen: „Was gibt es hier zu glotzen? Wird euer Essen nicht kalt?", fauchte sie, woraufhin sich die Tribüne leerte.

Als alle wieder am Tisch saßen, blickten alle auf Herrn Wüstenhagen. Sein Kopf war hochrot vor Aufregung.

Seba stellte ihm ein Glas Wasser hin.

„Sie bereiten mir Bauchschmerzen Herr Wüstenhagen! Bitte versprechen Sie mir, dass Sie das nie nie wieder machen!"

Seba sprach mit Herrn Wüstenhagen wie mit einem kleinen Jungen, und Herr Wüstenhagen nickte tatsächlich wie ein kleiner Junge.

„Entschuldigen Sie bitte, es tut mir leid, wenn ich Sie erschreckt habe. Ich habe mir wirklich nichts dabei gedacht", sagte er leise.

Luis stellte Herrn Wüstenhagen einen Teller hin und tröstete: „Nun essen Sie erst einmal was!" und das ließ Herr Wüstenhagen sich nicht zweimal sagen.

Ihm war anzusehen, dass er die Runde am Tisch genoss. Er stellte viele Fragen, die die Mädels, Seba und Luis geduldig beantworteten.

Nach dem Essen strahlte Herr Wüstenhagen wieder.

„Kommen Sie auch zum Picknick?", fragte Mücke Herrn Wüstenhagen.

„Zu welchem Picknick?", fragte er zurück und Inchi antwortete: „Nächsten Samstag machen wir einen Ausritt und picknicken im Wald. Die Eltern kommen zum Picknick und bringen Salate und Kuchen!"

Herr Wüstenhagen klatschte wie ein kleiner Junge in die Hände.

„Das klingt ja großartig! Natürlich sind wir dabei!"

Seba räusperte sich und sagte ernst: „Ich habe mit Ihrer Tochter bereits besprochen, dass es für sie und das Pferd zu früh ist zum Ausreiten. Aber natürlich sind sie beide herzlich zum Picknick eingeladen."

Irgendwie erwartete jeder jetzt einen lautstarken Protest, weil Samantha nicht mitreiten durfte, doch der blieb aus. „Das verstehe ich natürlich! Ich freue mich sehr, natürlich kommen wir gerne!", erwiderte Herr Wüstenhagen freundlich.

In diesem Moment kam Samantha mit Goethe aus der Halle. Ein strenger, auffordernder Blick reichte und Herr Wüstenhagen sprang auf und eilte zu ihr, um ihr zu helfen.

Inchi schüttelte den Kopf und murmelte: „Der ist ja kaum wiederzuerkennen!" und Esra fügte hinzu: „Warum interessiert der sich auf einmal so fürs Reiten?"

Für diese Frage hielt Seba eine passende Antwort bereit.

„Reiten ist halt was anderes als Golf!", lachte er und zwinkerte verschmitzt.

Anschließend teilte er die Pferde für die Reitstunde ein. Nachdem er fertig war, sagte er Inchi in einem sehr bestimmten, strengen Ton: „Inchi, Luis wird dir Wölkchen fertig machen, auch putzen! Wir wissen nicht, wie er sich verhält und Luis kennt ihn schon!"

Inchi antwortete mit einem Kopfnicken und einem verwunderten Ausdruck in ihrem Gesicht.

Als Jo die Tür von Trudes Box öffnete, sah sie, dass Trude mit gesenktem Kopf in der Box stand. Sie fraß nicht und sie reagierte auch nicht als Jo auf sie zulief.

Jo bemerkte, dass Trude schwer atmete und sehr stark schwitzte. Auch wenn es sehr warm war, Trude schwitzte sonst nie vor dem Reiten.

Jo sprach Trude an: „Hast du was?", aber Trude reagierte nicht. Jo schaute in Trudes Augen und sah, dass der Blick deutlich getrübt war.

Eilig lief sie aus der Box und rannte die Stallgasse zurück. Im Türrahmen zum Innenhof prallte sie mit Luis zusammen: „Pass doch auf!", knurrte er und rieb sich die Stirn.

Jo schnappte nach Luft und stotterte: „Trude ist krank! Sie steht da und reagiert gar nicht!"

Luis schaute Jo skeptisch an. „Seit wann reagiert Trude auf irgendwas?", versuchte er zu scherzen.

Jo griff Luis am Arm: „Verstehst du nicht?", sagte sie ernst und sah ihm dabei fest in die Augen. „Trude ist wirklich krank!"

Luis erkannte in Jos Blick, dass es ihr wirklich ernst war und folgte ihr zu Trudes Box.

Auf den ersten Blick sah es so aus, als wäre die Box leer, denn Trude war von der Stallgasse aus, nicht mehr zu sehen.

Jo riss die Tür auf und Trude lag im Stroh und stöhnte laut. Sie wollte in die Box stürzen, doch Luis hielt sie fest.

„Ich gucke!", sagte er und kniete sich neben Trude. Er zog das untere Augenlid herunter und schaute sich das Zahnfleisch an. Dann legte er seinen Kopf an Trudes Bauch und horchte für ein paar Minuten.

„Kolik!", sagte er. „Trude hat eine Kolik! Hol Seba, sie muss wieder aufstehen!"

Jos Schmetterling startete eine erschreckende Flatterattacke und verpasste Jo weiche Knie.

Sie rannte los und rief so laut sie konnte nach Seba.

„In der Küche!", hörte sie ihn antworten und sie rannte so schnell sie konnte zu ihm.

Sie konnte kaum sprechen: „Trude...", pustete sie, „Kolik! Komm schnell!"

Seba ließ sofort die Teller stehen und lief hinter Jo her.

Auf der Stallgasse hörte Jo schon Luis rufen: „Heya, Heya!" und als sie und Seba bei Trudes Box angekommen waren, sah sie, dass Luis Trude das Halfter angelegt hatte und versuchte sie hoch zu scheuchen.

Trude stand erst auf, als Seba die Box betrat, sie schwankte und es sah aus, als ob sie gleich wieder umfallen würde.

Auch Seba schaute ins Maul und horchte am Bauch.

„Oha", sagte er, „das ist schlimm!"

Er drückte Jo den Führstrick in die Hand und befahl: „Laufen, laufen, laufen! Sie darf sich auf keinen Fall hinlegen! Ich rufe den Dokki an."

Seba eilte die Stallgasse entlang und Jo versuchte Trude aus der Box zu ziehen. Luis stand hinter Trude, um sie von hinten anzutreiben und Trude setzte sich schwerfällig in Bewegung.

„Auf den Springplatz! Da ist es jetzt schattig", rief Luis Jo zu.

Es dauerte eine Weile, bis sie auf dem Springplatz angekommen waren.

Trude blieb stehen und begann mit einem Vorderbein im Sand zu scharren.

Jo zog so doll sie konnte am Strick und Luis trieb Trude erneut mit einem lautem „Heya, Heya!" an und Trude setzte, völlig erschöpft, einen Huf vor den anderen.

Seba kam zurück und teilte mit: „Der Dokki ist spätestens in einer Stunde da! Luis? Bleibst du dabei?"

Luis antwortete: „Si! Aber du musst dann den Fuchs satteln!"

Seba signalisierte, dass er verstanden hatte und lief eilig in den Stall zurück.

Mücke, Inchi und Esra hatten im Innenhof nichts von alledem mitbekommen.

Seba sattelte Wölkchen und ließ die Kinder in der Halle aufmarschieren.

„Jo fehlt noch!", rief Mücke und Seba erwiderte: „Nein, die ist bei Trude, Trude hat eine Kolik. Jo bleibt bei ihr, bis der Dokki kommt."

Mücke war besorgt. Wie gern wäre sie jetzt lieber zu Jo gelaufen.

Auch Inchi und Esra wirkten bedrückt und Inchi fragte: „Ist es schlimm?" und Seba antwortete, „Ich glaube schon!"

Er sah Inchis bedrücktes Gesicht, festigte seine Stimme und sagte zu Inchi: „Inchi, Trude ist versorgt. Du musst dich jetzt auf Wölkchen konzentrieren. Er ist zwar schon einige Tage hier, aber du weißt ja…"

Inchi nickte eifrig und antwortete: „Ich weiß, der Teufel schläft nie!"

„Genau! Bitte konzentrier dich jetzt!" und Inchi richtete sich im Sattel auf und nahm die Zügel auf.

„Ich bin soweit!"

Seba gab die Reihenfolge an und begann mit seinem Unterricht.

Währenddessen liefen Jo und Luis Runde um Runde mit Trude auf dem Springplatz.

Alle paar Minuten fragte Jo nach der Uhrzeit, wie lang konnte eine Stunde sein.

Trude lief ein paar Schritte, schwankte nach rechts und nach links, woraufhin Luis an die Seite sprang, um sie mit seinem Arm zu stützen. Immer wieder blieb sie stehen und begann zu scharren, woraufhin sie von Jo und Luis lautstark angetrieben wurde.

Irgendwann konnte Trude nicht mehr und sank zu Boden.

Luis konnte es nicht verhindern, und auch Jo konnte den Strick nicht mehr halten.

Ihre Finger begannen zu bluten, als der Strick sich durch ihre Hände zog.

„Truuude!", rief sie entsetzt.

Doch Luis hob die Hand und sagte zu Jo: „Warte!"

Jo kniete sich verzweifelt zu Trude herunter und hielt ihren Kopf.

„Wenn sie ruhig liegen bleibt, lassen wir sie kurz verschnaufen. Sie darf sich nur nicht wälzen!"

Luis sprach ganz ruhig, er hockte sich neben Jo und streichelte Trudes Hals und sprach sanft auf sie ein.

Trude lag ganz ruhig und das Schnaufen und Stöhnen ließ nach.

Jo stiegen die Tränen in die Augen. „Stirbt sie jetzt?", flüsterte sie.

Luis sah erschrocken in Jos Gesicht. „Nein, Trude stirbt nicht! Denk nicht mal dran!", befahl er streng und Jo suchte krampfhaft nach ein paar schönen Gedanken.

In diesem Moment hörten sie das heftige Bremsen eines Autos und Luis sagte: „Jetzt kommt Hilfe" und streichelte weiter Trudes Hals.

Der Dokki war ein guter Freund von Seba. Er kam auf den Platz gelaufen und kniete sich zu Trude herunter.

„Wie lange hat sie das schon?", fragte er mit einer ruhigen und sanften Stimme.

Luis sah Jo an, aber Jo war nicht in der Lage, sich an irgendeine Zeit zu erinnern.

Luis antwortete: „Wir haben sie ungefähr vor einer Stunde so gefunden, wir sind sofort mit ihr gelaufen, aber jetzt konnte sie nicht mehr und ich dachte, wenn sie ruhig liegt…"

„Das war genau richtig!", lobte der Dokki.

Er horchte an Trudes Bauch und auch er schaute sich Trudes Zahnfleisch an. Dann stand er auf und sagte mit klarer Stimme: „Gut, jetzt muss sie aber einmal aufstehen", woraufhin sie Trude zu dritt in den Stand scheuchten.

Es war zu sehen, dass die Pause Trude gut getan hatte.

Die Atmung blieb ruhig.

Der Dokki zog eine Spritze auf und sagte: „Ich glaube, sie hat zu wenig getrunken und hat jetzt eine Verstopfung."

Trude zuckte nicht einmal, als der Dokki die Nadel in ihren Hals stach.

Jos Schmetterling allerdings rollte sich bei diesem Anblick auf dem Grund ihres Magens hin und her.

„Die wird schon wieder!", sagte der Dokki. „Sie muss jetzt ordentlich äppeln und viel trinken. Lauft noch ein bisschen, die Spritze wird schnell wirken. Wenn sie geäppelt hat, darf sie in die Box."

Dann packte der Dokki seine Tasche wieder ein und verließ den Platz.

Jo zog Trude erneut am Strick und Trude setzte sich tatsächlich in Bewegung, Luis musste gar nicht mehr hinterherlaufen.

Als sie ein paar Schritte gelaufen waren, stupste Trude Jo am Arm.

Jo sah Luis an und Luis zwinkerte und sagte leise: „Sie hat gerade Danke gesagt!"

Vorfreude ist die schönste Freude

Inchi klopfte Wölkchen kräftig am Hals. Sie strahlte über das ganze Gesicht.

„Inchi, das hast du sehr gut gemacht!", lobte Seba.

„Der ist ja sooo toll!", schwärmte Inchi.

Seba ließ die Kinder absitzen und eilte zum Springplatz. Mit großer Erleichterung erkannte er schon von weitem, dass es Trude besser ging.

„Der Dokki hat mir gesagt, Trude muss viel trinken und darf erst wieder in die Box, wenn sie geäppelt hat", wiederholte Seba und Jo und Luis stimmten ihm zu.

Luis hatte Trude bereits Wasser angeboten, doch sie nahm ihm nichts ab.

„Lauft ihr noch mit ihr?", fragte Seba. „Oder soll ich euch eine Ablösung schicken?"

Wie aus einem Mund antworteten beide: „Wir laufen!"

Wenig später kamen die anderen zum Springplatz, um nach Trude zu schauen und es war fast so, als ob Trude es genoss, dass alle sie streichelten und ihr gut zusprachen.

Auch Samantha und Herr Wüstenhagen waren gekommen. Samantha verhielt sich ungewöhnlich ruhig, Herr Wüstenhagen hingegen wollte von Luis alles über die Kolik wissen. Er fragte, wie man eine Kolik erkenne und was dann zu tun sei.

Luis beantwortete geduldig jede einzelne Frage, während Jo weiterhin mit Trude im Kreis lief.

„Ihr müsst sie jetzt weiter beobachten?", fragte Herr Wüstenhagen und Luis nickte.

Herr Wüstenhagen sah Samantha an und sagte dann: „Gut, dann kommen wir nachher auch noch einmal wieder!"

Selbst Samantha schien über das plötzliche Interesse ihres Vaters verwundert zu sein, folgte ihrem Vater jedoch wortlos in Richtung Stall.

Jo hörte, wie Inchi von Wölkchen schwärmte: „Ein traumhaftes Pferd, so artig und er hat so einen fantastischen Galopp!"

Sie hörte auch, dass Luis Esra fragte, ob sie ihn auch einmal reiten würde, woraufhin Esra natürlich sofort zustimmte.

Jo hörte das nicht gern, Wölkchen schien von Tag zu Tag beliebter zu werden. Was wäre, wenn Wölkchen den Platz von Zitrönchen künftig ganz einnehmen würde und Zitrönchen dadurch nicht mehr zurückkäme?

In diesem Moment erschrak Jo, weil Trude plötzlich stehen blieb und laut stöhnte.

Sekunden später sah sie jedoch, dass Trude einen großen Haufen Pferdeäpfel absetzte, woraufhin alle in Jubelschreie ausbrachen.

Trude wusste nicht, wie ihr geschah und plötzlich kamen alle angerannt, umarmten und lobten sie für einen Haufen Äppel.

Trude durfte in die Box und dort trank sie auch den vollen Eimer, den Luis ihr unter die Nase hielt, bis auf den Grund leer.

Große Erleichterung machte sich breit.

Inzwischen war es spät geworden und Oma erschien auf dem Hof, um nach dem Rechten zu sehen. Sie setzten sich alle gemeinsam in den Innenhof und Mücke erzählte Oma die Ereignisse des Tages.

„Hoffentlich ist Trude bis zum Ausritt wieder gesund", sagte Oma und Seba runzelte die Stirn.

Das sah auch Jo.

Sie hörten das Eingangstor knarren und in der Dämmerung sahen sie Herrn Wüstenhagen und Samantha.

Samantha trug ein großes Tablett, stellte es auf den Tisch und schaute in die fragenden Gesichter.

„Schnittchen!", sagte sie und da sich keiner regte und alle skeptisch zu ihr aufschauten, fügte sie verlegen hinzu: „Für euch!"

Mehr brauchte sie nicht sagen, alle fielen wie hungrige Wölfe über Samanthas Schnittchen her.

Samantha strahlte und auch Herr Wüstenhagen wirkte sichtlich entspannt und zufrieden.

Am nächsten Morgen sagte Seba zu Luis am Frühstückstisch: „Wir beide reiten heute mal aus! Du nimmst den Fuchs!"

„Wölkchen!", korrigierte Luis.

Gesagt getan: Wenig später ritten sie durch das Tor der Anlage.

Seba hatte Panchito gesattelt, der alte Herr lief mit gespitzten Ohren voran.

Pastor folgte mit einem freudigen Bellen.

„Gib schön Acht!", ermahnte Seba seinen Neffen. „Ich hatte ihn noch nie mit draußen, blieb ja keiner oben!"

Luis streichelte Wölkchen am Hals. „Ich glaube, er ist ein gutes Pferd!" und Seba antwortete, „Ich habe nie daran gezweifelt, ich weiß nur nicht, ob der Schulbetrieb etwas für ihn ist."

Luis schwieg.

Wölkchens Ohren spielten vor und zurück, als würde er den beiden zuhören.

Seba und Luis ritten entlang der Pferdewiese. Die anderen Pferde standen schon draußen und hoben ihre Köpfe, als sie vorbeiritten.

Kimba wieherte und lief hinter dem Zaun ein Stückchen mit.

Sie ritten durch den Wald, trabten zwischendurch an, parierten wieder durch zum Schritt und als sie an einer Lichtung ankamen, hielt Seba an.

„Hier wäre ein guter Platz für das Picknick. Der Parkplatz ist nicht weit, so dass die Eltern dort ihre Autos abstellen könnten", überlegte Seba laut.

Dann ritten sie einen großen Bogen um den Wald herum zurück zum Stall. Sie galoppierten das letzte Stück an der Pferdewiese entlang.

Jo und Mücke halfen gerade Helmut dabei, die Pferde von der Wiese zu holen, als Wölkchen lauthals wieherte.

Jo drehte sich um, denn das Wiehern kannte sie. Ihr Blick ging über die Weide und sie suchte nach Zitrönchen, doch er war nicht zu sehen.

Mücke rief: „Sieh mal, Seba und Luis!"

Enttäuschung machte sich breit, Jo hätte schwören können, Zitrönchens Wiehern gehört zu haben, aber sie musste zugeben, dass sie sich geirrt hatte.

Luis führte Wölkchen in den Stall und kam die Stallgasse hoch gelaufen.

Jo kam ihm entgegen, weil sie nach Trude sehen wollte und wieder wieherte Wölkchen ihr entgegen.

Jo kniff die Augen ein wenig zusammen, Wölkchens Wiehern klang wirklich wie das Wiehern von Zitrönchen.

Als Luis mit Wölkchen an ihr vorbeilief, schlug der Schmetterling in ihrem Magen Purzelbäume und sie wunderte sich darüber. Aber dieser Schmetterling war sowieso unberechenbar, er tat was er wollte und so schlenderte sie weiter zu Trude.

Trude wirkte müde. Jo sah, dass sie ihr Futter nicht gefressen hatte, aber ein frischer Haufen Pferdeäpfel lag in der Box, das beruhigte sie sehr.

Helmut kam mit dem Futterwagen rum und auch er sah, dass Trude nicht gefressen hatte.

Er sagte: „Das ist nicht gut!"

Jo sah seine Sorgenfalten auf der Stirn.

„Ich bringe ihr gleich etwas anderes!", murmelte Helmut.

Wenig später kam er mit einer Schüssel zur Box und füllte eine schleimige Pampe in Trudes Futtertrog.

„Das würde ich aber auch nicht essen!", sagte Jo.

„Aaaah, das ist was ganz Feines, das wird sie mögen", antwortete Helmut und Trude mochte es tatsächlich.

Genüsslich schlabberte sie die Pampe und schmierte sie gegen die Gitterstäbe.

Jo war froh und Helmuts Sorgenfalten waren verschwunden.

„Ich sage es dem Chef, vielleicht hat sie was an den Zähnen!"

Jo nickte Helmut zu.

Seba, der gerade die Stallgasse entlang kam, hatte gehört, was Helmut sagte.

„Ich werde den Dokki bitten noch einmal zu kommen", sagte Seba, dann wandte er sich an Jo: „Ich befürchte, dass wir ein neues Pferd für dich suchen müssen. Für den Ausritt, meine ich!"

Auch das noch, dachte Jo.

„Vielleicht probierst du heute Nachmittag mal Wölkchen?", fragte Seba und Jo antwortete: „Nein, Luis hat gestern Esra schon gefragt, ob sie ihn reitet."

„Noch bin ich hier der Reitlehrer und ich möchte, dass du heute Nachmittag Wölkchen ausprobierst. Ich mache ihn dir später fertig und ich rede mit Luis und Esra."

Wenig später nahm Jo einen kräftigen Schluck aus der Wasserflasche, wie gerne würde sie diesen Schmetterling ersäufen, der seit dem Gespräch mit Seba in ihrem Magen aufgeregt hin und her flatterte und sich partout nicht beruhigen wollte.

Als Esra strahlend auf den Hof kam, nahm Seba sie beiseite.

Jo konnte nicht hören, was Seba mit ihr besprach. Sie konnte jedoch an Esras Gesicht erkennen, dass es ihr nicht gefiel, was er sagte. Jo fühlte sich zunehmend unwohler. Eigentlich wollte sie weder Wölkchen reiten noch wollte sie, dass Esra auf sie böse wurde.

Doch Esras Laune besserte sich schlagartig, als Luis ihr versprach, ihr beim Putzen und Satteln von Emma zu helfen.

Am Nachmittag sattelte Seba, wie besprochen Wölkchen und überreichte ihn Jo genau in dem Moment, als Oma durch das Tor kam.

Oma brachte Nudelsalat und Würstchen, aber sie blickte Jo mit einer gerunzelten Stirn entgegen.

„Wen reitest du denn da?", fragte Oma und stellte den Nudelsalat auf den Tisch.

Kurz darauf sah Oma Seba mit einem besorgten Blick an. Und Seba sah Oma daraufhin an.

Jo schaute von Oma zu Seba und von Seba wieder zu Oma.

Irgendetwas war doch sehr seltsam hier, dachte Jo. Trotzdem konnte sie sich das Verhalten der beiden nicht erklären.

Jo blieb auch nicht viel Zeit weiter darüber nachzudenken, denn Goethe hatte beschlossen, gegen Samanthas Willen Omas Nudelsalat zu probieren.

Samantha und Oma kämpften gemeinsam um den Nudelsalat, doch Omas Nudelsalat war der Beste und das fand Goethe auch. Er schubste Samantha zur Seite und drückte seine Nase so fest in die Schüssel, dass Oma sie nicht anheben konnte.

Nur mit Luis Hilfe gelang es, Goethes Nase aus dem Salat zu ziehen.

Jo und die anderen konnten sich nicht mehr halten vor Lachen.

Die Mayonnaise klebte Goethe am Maul und auf der Nase und in der Mähne klebten ein paar Nudeln.

„Das ist nicht gesund für das Pferd! Du musst wirklich besser aufpassen!", schimpfte Oma mit Samantha, woraufhin Samantha erwiderte: „Och, der hat schon ganz andere Sachen gefressen!"

Aber es war deutlich zu sehen, dass es Samantha unangenehm war.

„Ich rufe meinen Vater an, dass er einen neuen Salat vorbeibringen soll."

Aber Oma winkte ab, traurig starrte sie die Überreste in der Schüssel an.

Schließlich marschierten alle in der Halle auf. „Aufsitzen!", rief Seba.

Wölkchen schnupperte dauernd an Jos Hosentaschen und er verhielt sich eher unruhig, im Vergleich zu den anderen Tagen. Er stupste Jo mit der Nase an, doch sie wollte sich nicht wirklich mit ihm anfreunden.

Wie ein Verräter kam sie sich vor, als sie den Fuß in den Steigbügel setzte. Wölkchen lief zwei Schritte vor, trotzdem gelang es Jo, sich in den Sattel zu schwingen. Als sie im Sattel saß, kam ihr dieses Gefühl vertraut vor, doch sie verdrängte es sofort wieder, sie wollte keine Sympathie für Wölkchen empfinden.

Luis stand neben Oma auf der Tribüne. Er beobachtete Jo und Wölkchen.

Jo konnte nicht hören, wie Oma zu Luis sagte: „Hoffentlich entdeckt sie unser Geheimnis nicht."

Oma traute sich nicht laut zu sprechen.

Luis antwortete leise: „Er hat auf jeden Fall eine Verbindung zu ihr. Er versucht die ganze Zeit, auf sich aufmerksam zu machen, aber sie schaut gar nicht hin."

Aber Oma schaute nun genauer hin.

Seba stellte die Abteilung zusammen.

Samantha übernahm die Tete und Jo sollte sich hinter Goethe einsortieren.

Oma fiel auf, dass Jo auf Wölkchen wie ein Schluck Wasser in der Kurve hing und bevor sie es aussprechen konnte, sagte Luis: „Oh nein, das könnte in die Hose gehen!"

Oma verstand sofort, was Luis damit meinte.

Jo, war nicht bei der Sache. Sie wollte auch gar nicht bei der Sache sein und das war gefährlich.

Als Jo an Luis und Oma vorbei ritt, flüsterte Oma ihr zu: „Jo reite!"

Etwas erschrocken sah Jo sich um und erkannte die sorgenvollen Gesichter von Oma und Luis. Sie rutschte sich zurecht und drückte ein wenig das Kreuz gerade, sie verstand die Gesichter von Luis und Oma nicht.

Seba gab das Kommando zum Antraben und Jo drückte kräftig ihre Waden an Wölkchens Bauch, woraufhin Wölkchen einen riesigen Satz nach vorn machte und sie fast bei Goethe auf dem Hinterteil landeten.

„Pass doch auf!" zischte Samantha, und Seba rief in diesem Moment: „Abteilung Haaaaaalt!"

Alle standen.

Jo schaute, so wie die anderen, Seba fragend an.

Seba lief zu Jo, tat so als würde er den Sattelgurt fest ziehen wollen und sagte dann warnend zu Jo: „Jo, du musst reiten!"

„Mach ich doch!", antwortete Jo, doch Seba schüttelte den Kopf: „Nein Jo, das machst du nicht! Reite ihn, wie du das letzte Mal Zitrönchen geritten bist!"

Jo verstand die Aufregung nicht, aber Sebas Worte klangen irgendwie eindringlich und sie nahm sich vor, sich wenigstens ein bisschen auf Wölkchen zu konzentrieren. Also achtete sie auf seine Bewegungen, wie der Bauch gegen ihre Wade stieß, was sich unheimlich anfühlte, es war ihr so vertraut.

Die Gedanken wanderten zu Zitrönchen, sie fühlte die gleiche Berührung an ihrer Wade und als Seba erneut das Kommando zum Antraben gab, legte sie den Schenkel sanft an Wölkchens Bauch, woraufhin dieser ruhig antrabte.

„Reite, wie du Zitrönchen geritten bist!" klang es in ihren Ohren und sie stellte sich vor, auf Zitrönchen zu reiten, sie hörte auf sein Schnauben und achtete auf sein Ohrenspiel.

„Es funktioniert", flüsterte Luis Oma zu und Oma drückte dankbar seinen Arm.

Jo sah die silberglänzende Mähne vor sich, Zitrönchens goldenes Fell und spürte seine Entspannung im Rücken.

Der Schmetterling flog Pirouetten und ließ ein Glücksgefühl in Jo aufsteigen.

Sie galoppierte locker und entspannt mit den anderen auf dem Zirkel und fühlte sich sicher und geborgen.

Sie schrak auf, als Seba rief: „Das habt ihr gut gemacht! Feierabend!"

War die Stunde schon um? Sie blickte auf Wölkchen herab und sah seine quietschend rote Mähne.

Alles nur ein Traum, dachte Jo.

Als sie abstieg, kam Luis und nahm ihr Wölkchen ab. Irgendwie erschien er erleichtert, er sagte: „Gut gemacht!"

Kurz danach drückte Oma Jo an sich und flüsterte Jo ins Ohr: „Ach, das hast du wunderbar gemacht."

Jo wunderte sich schon wieder. Im Nachhinein fand sie nichts Spektakuläres an ihrem Ritt, denn Wölkchen war, wie sonst auch, doch nur artig hinterhergelaufen.

Sie half Mücke beim Absatteln von Kimba.

„Irgendetwas ist hier komisch!", sagte Jo zu ihrer kleinen Schwester.

„Wieso?", fragte Mücke und Jo erzählte ihr, dass Oma, Seba und Luis sich so merkwürdig verhielten und dass sie nach der Stunde so gelobt wurde, obwohl das ja eine Stunde wie jede andere war.

„Und warum wird Wölkchen gesattelt und getrenst?", fragte Jo.

Mücke fand daran nichts Komisches und sagte: „Sie freuen sich, dass du wieder reitest, glaube ich!"

Ja, dachte Jo, das wird es wohl sein.

„Ich habe mir vorgestellt, dass ich auf Zitrönchen reite", antwortete Jo leise und Mücke lächelte und sagte: „Der kommt bestimmt bald wieder."

Zusammen trugen sie das Sattelzeug von Kimba in die Sattelkammer.

Als sie in den Innenhof gingen, erklärte Samantha gerade, dass ihr Vater mit dem Abendbrot auf dem Weg sei und Jo sagte zu Mücke: „Siehst du, auch Samantha ist ganz anders als sonst!"

Mücke lachte laut: „Jaaa, Gott sei Dank!"

Wenig später fuhr Samanthas Vater vor. Er trug einen Stapel Pizzakartons.

Als er die Kartons auf dem Tisch verteilte, entschuldigte er sich bei Oma: „Bitte verzeihen Sie!"

Dann lachte er: „Das Pferd macht mich arm" und Oma antwortete: „Ja, wenn es jeden Tag das Abendbrot wegfuttert, allerdings sparen Sie dann auch wieder die Futterkosten für den Hafer!"

Jo begann zu lachen, der Anblick von Goethe war wirklich das Highlight des Tages gewesen.

Selbst Samantha gab zu, dass Goethe mit der Mayonnaise an der Nase und den Nudeln in der Mähne ausgesprochen komisch aussah.

Seba, Oma und Herr Wüstenhagen planten das Picknick. Seba erzählte von der Lichtung im Wald und beschrieb, wie die Eltern sie am besten erreichen würden.

Herr Wüstenhagen bot an das Essen zu fahren, da er das größte Auto besaß.

Oma wollte Decken besorgen und die Stallhalfter mitbringen, damit auch die Pferde zwischendurch eine Pause machen konnten.

Luis schlug vor, dass er Oma vorher alles zusammenpacken könne.

„Wie?", fragte Oma erstaunt. „Reitest du denn nicht mit?"

Luis schüttelte den Kopf und Jo glaubte, dass er schon ein wenig enttäuscht aussah.

Seba antwortete für Luis: „Ich bin sehr froh, dass der Junge mir so gut hilft. Er vertritt mich hier auf dem Hof, wenn ich mit den Kindern draußen bin!", sagte er stolz und Luis schien sichtlich erfreut über dieses Kompliment.

In den nächsten Tagen durften Esra und Ole Wölkchen reiten und Wölkchen wurde zum Lieblingspferd im Stall.

Jo ritt auf Minka und Emma und wann immer ihr Zeit blieb, ging sie mit Trude spazieren.

Der Dokki zog Trude doch einen Zahn, wie Helmut es voraussagte. Daraufhin fraß Trude aber auch ihr Futter wieder, trotzdem ordnete der Tierarzt an, dass Trude noch pausieren sollte. Er sagte, dass leichte Spaziergänge genau das Richtige für sie wären.

Nun stand der große Ausritt bevor. Am Tag zuvor lehrte Seba während des gemeinsamen Abendbrotes, wie man sich im Wald verhielt und was zu beachten war.

„Die Gruppe bleibt immer zusammen!", sagte er immer wieder ermahnend und „Wenn einer in Not ist, gibt er laut das Kommando zum Anhalten."

Jo lauschte gespannt Sebas Worten. Sie wusste immer noch nicht, wen sie reiten sollte.

Obwohl Esra total begeistert von Wölkchen war, wollte sie ihre heißgeliebte Emma reiten und auch Inchi entschied sich für Chocolat.

„Jo, du nimmst Wölkchen morgen mit raus?", fragte Seba und Jo sah, dass Luis sie gespannt ansah.

Jo wusste nicht, was sie antworten sollte. Würde sie nein sagen, verhielten sie sich wieder so sonderbar, aber ein überzeugtes Ja, brachte sie auch nicht hervor.

Luis fügte hinzu: „Er genießt es, draußen zu sein!"

Na gut, dachte Jo, sie wollte ja kein Spielverderber sein, wenn sie Wölkchen und anscheinend Seba und Luis damit einen Gefallen tat, dann eben so. Sie nickte kurz und brachte ein leises „Okay" hervor.

Mücke warf ein: „Darf ich die Kamera mitnehmen?"

Doch Seba schüttelte den Kopf. „Auf dem Pferd reitest du, da werden keine Fotos gemacht. Wir können sie aber deiner Oma in die Tasche packen und dann kannst du Fotos beim Picknick machen. Okay?"

Damit gab Mücke sich zufrieden.

An diesem Abend bereiteten alle das Sattelzeug vor und halfen beim Packen der Tasche für Oma.

Vorsichtshalber packte Seba noch den Verbandskasten in die Tasche und sagte zu Esra: „Du weißt ja, der Teufel …"

„Jajaja!", lachte Esra.

Dann verabschiedeten sich alle voneinander und verabredeten sich für den nächsten Tag zu elf Uhr.

Der große Ausritt

Mücke plapperte schon seit sechs Uhr in der Früh auf Jo ein, so aufgeregt war sie.

Mama hatte Hackbällchen gemacht, denn auch sie wollte mit Oma um vier Uhr am Nachmittag zum Picknick kommen.

„Das lasse ich mir doch nicht entgehen!", sagte sie und holte einen Kuchen aus dem Ofen.

„Tante Lucie übernimmt nachher den Laden und ich hole Oma dann rechtzeitig ab."

Jo und Mücke vernahmen das typische Omaklingeln und als Jo die Tür öffnete, sauste Lasse an ihr vorbei und bettelte bei Mama nach einem Hackbällchen.

„Kinder, ich bin so aufgeregt, als würde ich selbst ausreiten!", lachte Oma.

Mücke hüpfte auf und ab und predigte Oma zum zwanzigsten Mal, dass sie bloß nicht Sebas Kamera vergessen sollte.

Zur gleichen Zeit saßen Seba und Luis am Frühstückstisch.

„Ich werde mit Wölkchen noch einmal arbeiten und reite im Anschluss eine Runde um die Wiese", sagte Luis und Seba antwortete: „Das ist eine gute Idee! Aber wenn sie ihn so reitet, wie die letzten beiden Male, dann sollte es gehen."

Doch Luis war sich da nicht ganz so sicher wie Seba und sagte leise: „Wenn sie es tut, ja."

Wie besprochen arbeitete Luis mit Wölkchen in der Halle und ritt anschließend entspannt im Schritt eine Runde um die Pferdewiese. Dabei ließ er die Zügel lang und klopfte ihn sanft am Hals.

„Sie mag dich, das weißt du, oder?"

Wölkchen spitzte die Ohren. „Sie weiß halt nur noch nicht, wer du wirklich bist. Also, sei nett zu ihr!"

Wölkchen schlug den Kopf nach oben und schnaubte.

Luis war sich sicher, dass Wölkchen ihn verstanden hatte.

Als Luis ihn in die Box brachte, lobte er ihn abermals und verabschiedete sich mit den Worten: „Ich verlass mich auf dich!"

Wenig später trudelten nach und nach Esra, Inchi, Jo und Mücke ein.

Auch Samantha war eingetroffen, Luis hatte ihr versprochen, sie zu unterrichten.

Inchi bemerkte als Erste, dass Samantha Lippenstift trug und tuschelte mit Esra. Aber es blieb ihnen nicht viel Zeit.

Seba gab das Kommando, dass sie ihre Pferde putzen sollten, woraufhin jeder, bis auf Jo, sein Pferd aus der Box holte.

„Ich kann doch Wölkchen auch putzen!", sagte sie zu Seba, der sie erschrocken ansah und dann rasch antwortete:

„Auf keinen Fall!"

Jo zog die Augenbrauen hoch und sah Seba erstaunt an.

„Ääähm, der beißt!", erwiderte Seba schnell und schon wieder kam Jo das Ganze irgendwie spanisch vor. Es lag wohl daran, dass Seba eben ein Spanier war, dachte sie sich und murmelte: „Okay, okay, ich prüfe dann so lange noch einmal die Taschen, die Oma nachher abholt."

Seba war sichtlich erleichtert. „Gut! Das ist sehr gut!", antwortete er und verschwand im Stall.

Die Stimmung der Mädels war ausgesprochen gut. Inchi und Esra baten Jo, die Mähnen ihrer Pferde einzuflechten, was Jo auch gerne tat. Jedes Pferd bekam seinen eigenen

Zopf und auch Kimba musste herhalten, der hinterher so witzig aussah, dass Mücke schon die ersten Bilder machen musste.

Die Hufe wurden gebürstet und eingefettet, denn Seba betonte, dass sie einen guten Eindruck hinterlassen wollten, wenn sie jemanden im Wald treffen würden.

Die Mädels trugen alle einen dünnen roten Pullover, damit, so wie Inchi es sagte, so schnell keiner verloren gehen konnte.

Mücke zappelte hin und her und auf und ab und Jo ermahnte sie ständig, doch Mücke konnte nicht still sitzen oder still stehen.

„Aufsatteln!", endlich kam das erlösende Kommando von Seba und jeder begann sein Pferd zu satteln und zu trensen. Dann ließ er alle in die Halle marschieren und dort aufsitzen. Sie drehten ein paar Runden, dann wurden die Sattelgurte festgezogen und dann öffnete Luis endlich die Hallentür.

Seba ritt auf Panchito vorne weg aus der Halle. Jo folgte auf Wölkchen, dann Inchi mit Chocolat.

Mücke ritt als Vorletzte auf Kimba und Esra übernahm mit Emma verantwortungsvoll das Schlusslicht.

Seba sagte Esra, das Schlusslicht zu sein sei die bedeutendste Aufgabe überhaupt, denn sie müsse Bescheid geben, wenn vor ihr was passiere.

Das klang natürlich sehr wichtig und Esra ritt mit erhobenem Haupt als Letzte aus der Halle.

Luis öffnete das Tor weit und als Jo an ihm vorbeiritt, schaute er Jo eindringlich an.

Jo verstand, ohne dass er etwas sagte.

„Ich werde ihn reiten!", sagte sie und grinste Luis an.

Luis und Samantha liefen durch den Stall auf die andere Seite und schauten Seba und den Mädchen hinterher, wie sie entlang der Pferdewiese ritten.

Pastor und Lasse jammerten kläglich, sie wären so gerne hinterhergelaufen, doch Luis hielt sie zurück.

Kurz bevor sie in den Wald einbogen, winkte Seba Luis noch einmal zu.

Jo genoss den warmen Wind und den Geruch nach Tanne, als sie in den Wald einritten. Sie spürte, wie Wölkchen die Luft in sich hineinsog, sie klopfte ihn und fragte: „Schön, nicht wahr?"

Wölkchen schnaubte zufrieden und Jo setzte sich entspannt wieder zurück in den Sattel.

Inchi und Mücke hatten extra Pferdelieder auswendig gelernt und die trällerten sie nun aus vollem Hals.

Esra sang nicht mit, sie musste sich voll und ganz auf ihre Schlusslichtrolle konzentrieren.

Seba sah sich alle zwei Minuten um, aber wirkte nach jedem Mal deutlich gelassener.

Zwischendurch begegneten ihnen Spaziergänger, die sich an die Seite stellten und ihnen zuwinkten.

Seba erkundigte sich erneut nach dem Befinden und ließ dann die Gruppe ruhig antraben.

Jo bemerkte wieder die Berührung an ihrer Wade. Wölkchen lief locker vorwärts und hatte seine Ohren gespitzt. Jo überkam ein unglaublich gutes Gefühl und wieder sah sie Zitrönchens Mähne vor sich rauf und runter wallen. Sie sog die Luft tief in sich ein, den Duft des Waldes und auch den Duft der Pferde. Sie fühlte Wölkchens Körperwärme und sein Muskelspiel im Rücken und es war wieder so, als würde sie Zitrönchen reiten.

Sie ritten an einem See entlang und die Sonne blitzte auf dem Wasser.

Mücke rief von hinten: „Wenn ich groß bin, werde ich eine reitende Fotografin!", woraufhin alle laut lachten.

Am Ufer des Sees legten sie eine kurze Pause ein und Seba schlug vor, dass die Pferde sich kurz die Füße im Wasser abkühlen sollten.

Als Jo allerdings mit Wölkchen im Wasser stand und Wölkchen kräftig mit einem Vorderbein im Wasser spritzte, schrie Seba plötzlich: „Sofort aus dem Wasser!"

Jo blickte erschrocken zu ihm herüber und Seba sah aus, als habe er den weißen Hai persönlich gesichtet.

„Sofort raus aus dem Wasser!", schrie er lauter als zuvor und Jo, Mücke, Esra und Inchi trieben sofort die Pferde ans Ufer.

„Was ist denn los?", maulte Inchi erschrocken über Sebas unwirschen Ton.

„Äh, ich habe gerade ein Schild gesehen!", antwortete Seba gereizt.

Esra schaute sich zu allen Seiten um. „Was denn für ein Schild?", fragte sie zurück.

„Ach, ist doch egal! Baden ist hier verboten! Lasst uns weiterreiten!", erwiderte Seba zerknirscht und die Mädchen folgten ihm mit verwunderten Gesichtern.

Schon wieder hatte Jo dieses komische Gefühl. Hier stimmt doch was nicht, dachte Jo und sie erinnerte sich, dass sie das nicht zum ersten Mal dachte. Aber sie konnte sich auch dieses Verhalten von Seba einfach nicht erklären.

Sebas Stimmung schlug nach wenigen Minuten wieder um und er begann spanische Lieder zu pfeifen.

Wölkchen lauschte aufmerksam mit gespitzten Ohren.

Nach etwa einer weiteren Stunde kamen sie an die Lichtung, wo die Eltern schon auf sie warteten.

Oma wirkte irgendwie erleichtert, als sie Jo entdeckte, das fiel auch Jo auf.

„Na? Ist er brav gewesen?", fragte Oma und Jo antwortete: „Natürlich, der ist doch immer brav!" und dann fiel Mama ihr um den Hals.

Mücke war nicht zu bremsen, kaum war sie von Kimba abgestiegen, schnappte sie sich Sebas Kamera und legte los. Dabei erzählte sie Oma im Schnelldurchlauf jedes einzelne Detail, wie zum Beispiel, dass sie später eine reitende Fotografin werden wollte.

Mama und Oma hielten die Pferde fest, während die Mädchen die mitgebrachten Leckereien aßen.

Herr Wüstenhagen, Esras Mutter und die Eltern von Inchi plauderten mit Seba.

Die Pferde bekamen ein Halfter auf und durften grasen. Nach einer Stunde mahnte Herr Wüstenhagen, dass es vielleicht Zeit wäre aufzubrechen, denn für die späteren Abendstunden seien schwere Gewitter vorausgesagt.

Seba schaute zum Himmel hinauf: „Ach, alles blau, nicht eine Wolke in Sicht!", dann nahm er sich noch ein Stück Kuchen und plauderte weiter mit Esras Mutter.

Es ging inzwischen auf sechs Uhr zu und nun fragte auch Oma, wieviel Zeit denn für den Rückweg eingeplant wäre.

„Wir brauchen maximal zwei Stunden nicht länger! Wir sind auf jeden Fall vor der Dunkelheit zu Hause!"

Aber er stimmte zu, dass es Zeit war aufzubrechen.

Die Pferde wurden erneut getrenst.

Herr Wüstenhagen bot jedem Pferd noch einmal Wasser in einem Eimer an und dann saßen Jo, Mücke, Esra und Inchi erneut auf.

„Ich habe zu viel gegessen!", stöhnte Inchi und hielt sich den Bauch.

„Ich auch", gab Esra zu, „wie gut, dass wir nach Hause getragen werden!"

Sie lachten. Seba und die Mädchen winkten den Eltern, bis sie außer Sicht waren.

Seba schlug einen anderen Weg ein und Mücke fragte: „Das ist aber nicht derselbe Weg, auf dem wir gekommen sind, oder?"

„Nein", erwiderte Seba, „wir reiten einen anderen Bogen, dieser Weg ist auch kürzer!"

Sie ritten am Rand des Waldes entlang, zwischen Wiesen und Feldern und bogen dann erneut in den Wald ein.

„Die Hälfte haben wir geschafft!", rief Seba. „Ein kleines Stück noch durch den Wald und dann sind wir wieder zu Hause! Tut der Hintern schon weh?", lachte Seba und er hörte einen lauten Protest: „Niiiiiieee im Leben!" und er antwortete: „Gut! Das ist sehr gut!"

Kurz darauf bemerkte Jo, dass Wölkchen die Ohren spitzte und ein wenig anfing zu trippeln. Dass er die Ohren spitzte, war ja nichts Ungewöhnliches, sagte sie sich, aber sie verspürte durch das Trippeln eine innere Unruhe.

Sie erinnerte sich an Luis Worte: „Reite ihn!" und sie nahm die Zügel auf und versuchte sich zu konzentrieren.

Aber Wölkchens Unruhe nahm zu.

Nun fing auch Panchito an, sich ungewöhnlich zu verhalten, er tänzelte nach rechts, dann tänzelte er nach links. Da Seba aber nichts dazu sagte, dachte sich Jo, es läge wahrscheinlich daran, dass sie sich auf dem Rückweg befanden und die Pferde einfach nur nach Hause wollten, weil das Abendbrot dort auf sie wartete.

Hinter Jo lachten und schnatterten Esra, Inchi und Mücke. Sie schienen nicht beunruhigt, also versuchte Jo diese Gedanken zu verdrängen.

Sekunden später blieb Panchito wie angewurzelt stehen und Wölkchen machte einen kleinen Satz zur Seite. Seba hob die Hand und sofort verstummten Esra, Inchi und Mücke.

Ewige Minuten standen sie still, weder die Pferde noch irgendein anderer sonst traute sich, sich zu bewegen.

Jo traute sich kaum zu atmen. Sie bemerkte, dass sowohl Seba, als auch Panchito und Wölkchen in den Wald hinein lauschten. Jo fühlte die Anspannung in Wölkchens Muskeln.

Vorsichtig wollte sie ihn am Hals streicheln, doch er war so angespannt, dass er bei der Berührung von Jos Hand erschrak und erneut ein Stück zur Seite sprang.

Seba schaute kurz zu Jo und Jo nickte ihm zu, dass alles in Ordnung sei.

Panchito schnaubte auf einmal so laut, wie es sonst nur Feuerdrachen taten.

Nun fasste Seba auch die Zügel nach und flüsterte leise: „Wild-schwei-ne!"
Jos Schmetterling neigte zu einem Herzstillstand, entschloss sich dann aber für ein wildes Herzklopfen.
Jo glaubte Wölkchens Herz schlagen zu hören, aber vielleicht war es auch ihr eigenes.

Inchi wimmerte leise: „Auweia, ich habe Angst!" und Esra zischte ein kurzes „Pssst!", woraufhin Inchi verstummte.

Auch Mückes Herz schlug ihr bis zum Hals, Kimba stand mit hoch erhobenen Kopf da und schaute so, wie die anderen, in den Wald hinein.

Mücke erinnerte sich in diesem Moment an eine Geschichte, die Mama ihnen erzählte.

Als Mama mal das Pony durchging, rief Oma ihr zu: „Greif in die Mähne, greif in die Mähne!" und das tat Mücke auch. Sie fasste die Zügel kurz und klemmte sich in beide Hände jeweils einen dicken Zopf von Kimbas Mähne. Die eingeflochtene Mähne erwies sich jetzt als ausgesprochen praktisch.

Panchito tänzelte von einem Bein aufs andere und plötzlich preschten drei, vielleicht waren es auch vier oder fünf Wildschweine vor ihnen aus dem Gebüsch.

Panchito machte auf dem Absatz kehrt und Jo hörte nur wie Seba laut „Verdammt!" rief.

Sie hatte das Gefühl, dass Wölkchen förmlich explodierte. Sie sah Ohren, Hals und Mähne um sich blitzen, wurde heftig nach vorn und nach hinten geschleudert. Sie krallte ihre Hände in Wölkchens kurze Mähne und dann hörte sie nur ein lautes Schreien von Inchi oder Esra, sowie jede Menge Hufgetrappel.

Wölkchen rannte und die Bäume flitzten an ihnen vorbei. Sie vernahm ein lautes Grunzen und Quieken hinter sich und sie war sich sicher, dass die Wildschweine ihr folgten.

Die Äste peitschten ihr ins Gesicht und sie verlor einen Steigbügel. Sie schaffte es, sich vorne runterzuducken, aber sie konnte die Mähne nicht loslassen.

Wölkchen rannte wie ein Rennpferd durch den Wald, schlug Haken um Bäume herum und jedes Mal, wenn Jo drohte seitlich runterzurutschen, machte Wölkchen einen erneuten Satz, der sie wieder in die richtige Position zurückwarf.

Sie wollte nach den Zügeln greifen, aber es gelang ihr nicht. Sie hörte die anderen nicht mehr und Jo spürte, wie ihre Kraft nachließ. Ihr schossen Sätze durch den Kopf wie „Oben bleiben!" oder „Reite ihn!", aber sie war sich nicht mehr sicher, ob sie das hier heil überstehen würde.

Wölkchen jagte durch den Wald und plötzlich bekam Jo einen schweren Schlag ins Gesicht und dann wurde es dunkel.

Zur gleichen Zeit galoppierten Mücke, Inchi und Esra durch den Wald. Der alte Kimba vorneweg, die anderen hinterher.

Mücke hatte ihre Augen fest zusammengekniffen und konzentrierte sich nur auf Kimbas Mähne in ihren Händen.

Inchi schrie die ganze Zeit, bis Esra rief: „Hör auf zu schreien!"

Kimba wurde langsam ruhiger und als er in den Trab fiel, öffnete Mücke die Augen und sie sah den Rand der Pferdewiese.

Sie nahm die Zügel auf und parierte Kimba durch. Auch Esra und Inchi konnten ihre Pferde hinter Kimba durchparieren. Sie schnauften und zitterten genauso wie Esra, Inchi und Mücke.

Sie schauten sich um und sahen mit großer Erleichterung Seba auf Panchito aus dem Wald heraustraben. Auch er hatte schon wieder die Kontrolle über Panchito zurückgewonnen.

Nun schauten alle gespannt auf den Eingang zum Wald, sie erwarteten nun, dass Jo aus dem Wald geritten kam, aber Jo kam nicht.

In Mücke machte sich Panik breit, Tränen schossen ihr in die Augen und sie rief Seba zu: „Jo fehlt!"

Sie versuchte Kimba umzudrehen, um zurück in den Wald zu reiten, doch Kimba weigerte sich.

Seba schaute sich um, Jo war nicht da. Er sah die schwarze Gewitterfront am Rande des Horizonts und dann befahl er:

„Antraben und sofort zum Stall! Zügig, zügig, vielleicht ist Jo schon da! Die Pferde laufen in der Regel immer nach Hause!", versuchte er Mücke zu beruhigen.

Mücke drückte, so heftig wie sie konnte, ihre Waden an Kimbas Bauch und Kimba preschte los. Die Tränen liefen ihr die Wangen herunter, die Haut in ihrem Gesicht brannte wie Feuer.

Oma sah die Pferde von weitem und rief: „Sie sind wieder da!", jedoch spürte sie kurz darauf, dass irgendetwas nicht stimmte.

Herr Wüstenhagen, Mama und Luis hatten sich neben Oma gestellt und beobachteten, wie Mücke voran, die Wiese entlanggaloppiert kam.

„Huii, die hat es aber eilig!", lachte Mama, doch Luis sprach es als erster aus: „Jo fehlt!"

Oma schlug die Hände vor den Mund und Herr Wüstenhagen eilte schon zum Tor und öffnete es weit.

Mücke traf ein, als Samantha gerade mit Goethe aus der Reithalle kam.

Mücke schrie, als sie durch das Tor galoppierte: „Omaaaaaa, Jo ist nicht da!"

Luis ergriff Kimbas Zügel und brachte ihn zum Stehen.

Schluchzend sank Mücke in Mamas Arme.

Inchi und Esra wurden von ihren Eltern von den Pferden geholt und als Seba mit Panchito im Tor stand, fragte er entsetzt: „Jo ist nicht hier?"

Luis schüttelte den Kopf und in diesem Moment donnerte es heftig und Wind kam auf.

„Wir müssen sie suchen!", rief Seba und wollte Panchito erneut umdrehen, als Herr Wüstenhagen sich Seba in den Weg stellte.

„Seien Sie vernünftig! Nicht mit dem Pferd, steigen Sie ab, wir nehmen meinen Wagen!"

Seba sprang ab und drückte Inchis Mutter sein Pferd in die Hand.

Zwei Sekunden später fuhr Seba zusammen mit Herrn Wüstenhagen, mit quietschenden Reifen, in seinem Geländewagen davon in Richtung Wald.

Luis griff Mücke am Arm: „Was ist passiert?"

Mücke versuchte so gut sie konnte zu antworten: „Wildschweine, das waren Wildschweine und sie rannten auf uns zu und da gingen die Pferde durch!", stammelte sie.

Luis ließ Mücke los und rief: „Ich brauche ein Pferd! Ich brauche ganz schnell ein Pferd!" und Samantha, die mit Goethe immer noch vor der Hallentür stand, antwortete spontan: „Nimm meins!" und Luis saß binnen weniger Sekunden in Goethes Sattel.

Inchis Mutter sprang mit Panchito zur Seite als Luis durch das Tor galoppierte.

Mücke weinte bitterlich und Oma versuchte ihr Mut zu machen, obwohl ihr selber das Herz bis zum Hals schlug.

„Sie werden Jo finden! Ihr wird schon nichts passiert sein!"

Oma sah in Mamas besorgtes Gesicht, auch Mama standen Tränen in den Augen.

„Sie reitet ein gutes Pferd! Sie wird heil nach Hause kommen!", sagte sie zu Mama und betete in diesem Moment, dass sie Recht behalten würde.

Sie sahen, wie Luis an der Pferdewiese entlanggaloppierte.

Pastor und Lasse waren ein Stück hinterher gelaufen, kehrten jedoch wieder um, als es erneut donnerte und blitzte.

Goethes Galoppsprünge waren kraftvoll und ausgesprochen groß. Luis trieb ihn in den Wald hinein. Es war schon fast dunkel, aber Goethe galoppierte mutig voran. Luis entschied sich in Richtung der Lichtung zu reiten, als es erneut am Himmel blitzte und krachte und es heftig zu regnen begann.

Im Stall herrschte das blanke Entsetzen.

„Wir müssen die Feuerwehr alarmieren!", schlug Inchis Mutter vor.

„Es wird gleich dunkel und obendrein wird das ein sehr kräftiges Gewitter werden!"

Die Tropfen prasselten schon auf sie herab und Oma und Mama stimmten zu, woraufhin Inchis Mutter die Polizei und die Feuerwehr alarmierte.

„Sie ist da draußen ohne Licht", flüsterte Mama, die Mücke immer noch fest im Arm hielt.

„Sie werden sie finden!", wiederholte Oma und drückte Mamas Hand.

Samantha versorgte die Pferde, die vom Ausritt zurückgekehrt waren und brachte einen nach dem anderen in seine Box. Sie holte Getränke für Inchi, Esra und Mücke und stellte einen Kuchen bereit.

„Ihr müsst jetzt bitte etwas essen, wenigstens ein bisschen. Sonst klappt euer Kreislauf zusammen!", befahl sie in einem strengen Ton und Inchi langte zu, obwohl sie kaum einen Bissen runterbrachte.

Samantha hielt auch Mücke ein Stück Kuchen hin und als Mücke den Kopf schüttelte, sagte Samantha: „Wenn deine

Schwester zurückkommt, darfst du hier nicht mit einem Kreislaufkollaps liegen!" und streckte ihr den Kuchen unter die Nase.

Mücke nahm das Stück entgegen und biss gehorsam ab.

Dann nahm sich Samantha das letzte Stück, setzte sich neben Oma und flüsterte während sie vom Kuchen abbiss: „Auch mein Pferd und mein Vater sind da draußen" und Oma drückte nun Samanthas Hand.

Der Regen bringt es an den Tag

Jo spürte einen stechenden Schmerz in ihrem Kopf und ihr Gesicht brannte wie Feuer. Sie nahm wahr, dass sie nicht mehr auf dem Pferd saß, nein, sie lag auf dem Boden und irgendetwas drückte ihr in den Rücken.

Sie spürte, wie ihr etwas ins Gesicht pustete und sie fühlte etwas Weiches an ihrem Ohr. Langsam öffnete sie die Augen. Es war schon fast dunkel, aber sie erkannte über sich die Nase eines Pferdes, die ihr immer wieder durch das Gesicht fuhr.

Sie hob die Hand und berührte die Nase und es schoss wie ein elektrischer Schlag durch ihren Körper.

Diese Nase... dachte sie. Jo öffnete die Augen etwas weiter und das rote Pferd stand über ihr und schnaubte sie an. Sie sah ihm in die Augen und obwohl sie sich nicht die rote Farbe erklären konnte, war sie sich sicher, wer da über ihr stand.

Sie berührte erneut die Nase und flüsterte: „Zitrönchen!" und Zitrönchen stupste sie an der Schulter.

Der Schmetterling hatte überlebt, er flog Loopings und tanzte Pirouetten.

Jo versuchte sich aufzurappeln. Ihr Kopf schmerzte, aber sie stellte fest, dass sie ihre Arme und Beine bewegen konnte.

Plötzlich fielen ihr die Wildschweine wieder ein und nun versuchte sie sich mit aller Kraft aufzurichten und als sie stand, schmerzte das rechte Knie so sehr, dass ihr schwindelig wurde. Sie stützte sich an Zitrönchen ab, der still neben ihr stand.

„Bist du okay?", fragte sie ihn und schaute so gut wie es bei dem wenigen Licht noch ging, ob Zitrönchen verletzt war. Jo erschrak, an der Brust klaffte ein Hautfetzen und es blutete leicht aus der Wunde.

Zitrönchen stupste sie erneut an.

„Meinst du, du schaffst es nach Hause?", fragte sie ihn erneut, woraufhin Zitrönchen den Kopf nach hinten schlug, was für Jo ein eindeutiges Ja war.

In diesem Moment blitzte und donnerte es und Zitrönchen sprang erschrocken zur Seite.

Jo hatte bereits die Zügel gegriffen und sah sich nun um.

In welche Richtung sollte sie gehen?

Sie wusste nicht wo sie war. Sie spürte einen dicken Kloß in ihrem Hals, aber als sie das Grummeln am Himmel vernahm, wusste sie, dass sie so schnell wie möglich aus dem Wald raus musste.

„Wir müssen nach Hause!", sagte Jo mit zittriger Stimme und auch Zitrönchen wurde zunehmend unruhiger und dann lief er einfach los.

Jo humpelte neben ihm her und jedes Mal, wenn es im Gebüsch knisterte, griff sie mit einer Hand nach Zitrönchen.

Die Dunkelheit nahm zu und inzwischen prasselte der Regen auf sie herab.

Immer wenn es blitzte, konnte Jo kurz auf den Weg blicken. Sie schwankte und zwischendurch drehte sich auch die Dunkelheit in ihrem Kopf. Sie wusste nicht, ob das Knie mehr schmerzte als der Kopf oder der Kopf mehr als das Knie.

Sie hielt sich seitlich am Sattel fest, als Zitrönchen plötzlich stehen blieb und ihr einen heftigen Schubs verpasste:

„Au, das tut weh!", stöhnte sie.

Doch Zitrönchen lief um sie herum und schubste sie immer wieder.

„Was willst du?", rief sie verwundert und Zitrönchen blieb stehen und schlug erneut den Kopf hoch.

Jo fragte: „Meinst du, ich soll aufsteigen?" und in dem Moment blitzte und donnerte es zugleich.

Zitrönchen schnaubte und trat hin und her. Jo legte die Zügel über seinen Hals zurück und griff nach dem Steigbügel. Als sie ihr Bein hob, schoss ein stechender Schmerz durch ihr rechtes Knie.

„Ich schaffe das nicht!", stöhnte sie vor Schmerzen.

Zitrönchen trippelte erneut hin und her und schnaubte, bis Jo es noch einmal versuchte.

Mit letzter Kraft zog sie sich in den Sattel und sank dort in sich zusammen.

Der Regen peitschte vom Himmel herab, sie griff mit beiden Händen in die Mähne und flüsterte: „Okay, ich bin so weit. Lauf nach Hause, Zitrönchen."

Und Zitrönchen lief vorsichtig im Schritt an und wurde langsam etwas schneller. Sobald er merkte, dass Jo wackelte, lief er wieder langsamer, sodass Jo sich zurechtrutschen konnte.

Jedes Mal, wenn es donnerte, zuckten Jo und Zitrönchen zusammen, dennoch lief er vorsichtig weiter, einen Schritt vor den anderen. Sie liefen und liefen und Jo versuchte zwischendurch nach dem Weg zu schauen, aber es war zu dunkel. Sie hatte sich auf Zitrönchens Hals gelegt, sie hatte kaum noch Kraft. Es drehte sich alles und das Gesicht brannte. Ihr schossen Bilder durch den Kopf und auf einmal war ihr alles klar. Das komische Verhalten von Seba und Oma oder dass sie ihn nicht putzen durften, alles passte perfekt zusammen.

„Du warst die ganze Zeit da", flüsterte Jo, „und ich habe dich nicht gesehen." Tränen kullerten ihre Wangen herunter und wieder brannte das Gesicht.

Irgendwann blieb Zitrönchen plötzlich stehen und lauschte.

Jo lag nach wie vor auf seinem Hals und flüsterte: „Bitte, bitte keine Wildschweine."

Sie erschrak noch viel mehr, als Zitrönchen lauthals wieherte. Er wieherte so laut, dass es wie ein Echo aus dem Wald zurück schallte.

Zitrönchen wieherte erneut so laut, dass es in Jos Kopf schmerzte.

Schon wieder kam ein Echo zurück, das aber dieses Mal anders klang, als das Wiehern von Zitrönchen.

Sie hörte eine Stimme rufen: „Joooooooo!"

Das war doch ihr Name, dachte Jo, aber sie hatte keine Kraft um zu antworten.

Dafür wieherte Zitrönchen ununterbrochen und ein kräftiges tieferes Wiehern schallte zurück.

Jo blinzelte, doch wegen des heftigen Regens konnte sie die Augen kaum öffnen.

Es blitzte und donnerte erneut und im Licht des Blitzes, sah sie die Gestalt eines großen schwarzen Pferdes und dann hörte sie Luis Stimme: „Jo! Madre mia! Jo!"

„Madre mia!", das kam Jo bekannt vor und auch die Stimme kannte sie.

Luis war von Goethe gesprungen und eilte mit Goethe im Schlepptau die letzten Schritte auf Zitrönchen zu.

Zitrönchen schnaubte Luis entgegen.

Als Luis Zitrönchen endlich erreichte, krachte es am Himmel und Goethe bäumte sich auf, so dass Luis ihn loslassen musste. Luis versuchte noch die Zügel zu ergreifen, doch Goethe riss sich los und verschwand mit einem kräftigen Hufgeklapper in der Dunkelheit.

„Verdammt!", Luis packte in Zitrönchens Zügel, doch Zitrönchen machte keine Anstalten zu fliehen.

Es schien so, als wäre er froh Luis zu sehen und Jo war es auch.

Luis konnte kaum zu Jo hinaufsehen, so sehr prasselte der Regen in sein Gesicht. Er rüttelte an Jos Bein, woraufhin Jo laut aufstöhnte. „Bist du verletzt?", fragte er besorgt und der Wind peitschte Äste auf sie herab.

„Wir müssen hier weg, wir sind mitten im Gewitter!" rief Luis und griff nach Zitrönchens Zügeln. Zitrönchen aber weigerte sich mit Luis zu gehen. Stattdessen schubste er Luis, wie zuvor auch Jo, ständig an der Schulter und schnaubte aufgeregt.

Luis hielt inne, legte eine Hand an seinen Hals und flüsterte: „Bist du sicher du schaffst uns beide?"
Zitrönchen schlug den Kopf in den Nacken und Luis setzte den Fuß in den Steigbügel und setzte sich hinter den Sattel auf Zitrönchens Rücken. Er hob Jo vom Hals hoch und lehnte sie an sich und legte fest einen Arm um sie. Mit der anderen Hand ergriff er die Zügel.

Das Gewitter tobte, Luis drückte seine Waden leicht in Zitrönchens Bauch und rief: „Wir sind so weit! Lauf nach Hause!" und Zitrönchen setzte sich erneut in Bewegung, erst langsam und dann in einem zügigem Schritt.

Zitrönchen blieb zwischendurch kurz stehen, wandte seinen Kopf, als wollte er die Richtung prüfen und lief dann vorsichtig weiter.

Endlich tat sich in der Dunkelheit die Lichtung auf, in der sie das Picknick veranstaltet hatten und Luis flüsterte: „Er bringt uns nach Hause, Jo. Hörst du? Wir sind an der Lichtung. Zitrönchen findet den Weg, er bringt uns zurück."

Jo antwortete nicht und Luis konnte in der Dunkelheit ihr Gesicht nicht sehen. Er versuchte sie warm zu halten, doch der Wind peitschte über sie hinweg.

Zitrönchen bahnte sich den Weg durch die Bäume und endlich lichtete sich der Wald. Obwohl es dunkel war, erkannte Luis, dass sie kurz vor der Pferdewiese waren. Bevor sie den Wald verließen, sah Luis Lichter blitzen, es war der Suchtrupp der Feuerwehr.

Zitrönchen wieherte laut und Luis hörte Herrn Wüstenhagens Stimme.

„Ich glaube, da ist ein Pferd! Ein helles mit blutigen Beinen!"

Lasse und Pastor schlugen an und rannten auf Zitrönchen zu.

Sofort richteten sich die Scheinwerfer auf das Pferd und Seba rannte ihnen entgegen.

Alle waren inzwischen gekommen, um bei der Suche zu helfen. Sie standen hinter den Scheinwerfern und blickten auf das Pferd, auf Luis und Jo.

„Das kann nicht wahr sein!", stammelte Inchi und boxte Esra in die Seite.

„Siehst du, was ich sehe?", fragte Inchi und Esra stotterte ebenso verdutzt: „Ja, ich glaube, ich gucke nicht richtig!"

Mücke hatte sich auf die Zehenspitzen gestellt und erkannte das Pferd sofort.

Sie rief: „Das ist Zitrönchen!" und schon eilten alle auf Zitrönchen zu.

Seba hob vorsichtig Jo herunter und sie verfrachteten sie sofort in Herrn Wüstenhagens Wagen.

Oma hielt Mücke fest, die zu ihrer Schwester eilen wollte. Sie drückte Mücke an sich und rief Mama hinterher: „Sag mir Bescheid!"

Mama nickte und sprang in Herrn Wüstenhagens Auto, der mit einem lauten Aufheulen des Motors davonraste.

Seba umfasste mit einer Hand Luis Stiefel und sagte: „Ich bin so froh dich zu sehen, Junge!"
Luis ergriff Sebas Hand und drückte sie fest.

Inchi schrie laut auf: „Zitrönchen blutet, die Beine sind voller Blut!" woraufhin einer der Feuerwehrmänner eine Lampe an die Beine hielt.
Doch Seba entwarnte sofort: „Das ist kein Blut, Kinder, das ist Farbe!"

Seba erkannte trotz der Dunkelheit die entsetzten Gesichter von Esra und Inchi.
Seba bemerkte bereits beim Plantschen im See, dass die Hennafarbe dem Wasser nicht standhielt. Deshalb hatte er die Kinder auch sofort aus dem Wasser gejagt.

Nun hatte der Regen die Farbe aus Wölkchens Fell gespült, wodurch er wieder zu Zitrönchen wurde und das war jetzt nicht mehr zu leugnen.

„Lasst uns Zitrönchen nach Hause bringen!", sagte Seba ernst, ergriff dann die Zügel und führte Luis an der Pferdewiese entlang zurück in den Stall.

Das Gewitter ließ nach und die Feuerwehrleute rückten ab.

Goethe war bereits im Stall angekommen und Samantha hatte ihn überglücklich in Empfang genommen.

Sie eilte Luis und Seba entgegen und erkundigte sich bei Luis: „Ist dir was passiert?"

Luis schüttelte den Kopf und antwortete: „Goethe war spitze! Er hat mich hingeführt. Es hat so doll gekracht und der hat sich so sehr erschrocken…"

Samantha unterbrach ihn: „Er ist hier! Er ist heil nach Hause gekommen und hatte einen Bärenhunger!", lachte sie.

Als Luis erschöpft von Zitrönchen stieg, fiel ihm die Wunde an der Brust auf.

„Er ist verletzt!", sagte Luis entsetzt.

Seba leuchtete die Wunde mit einer Taschenlampe an.

„Oha, das muss genäht werden!", antwortete er.

„Bring ihn in den Stall, ich rufe den Dokki an."

Wenig später nähte der Tierarzt den Hautfetzen an Zitrönchens Brust wieder an.

„Ach das heilt schnell wieder!", erklärte der Dokki.

„Was mir mehr Sorgen macht ist, dass er so erschöpft ist. So etwas ist auch immer ein Trauma für das Pferd!", sprach er weiter und sah in die besorgten Gesichter von Luis und Seba.

„Ich werde ihm etwas zur Beruhigung geben, er wird sich sicher in seiner Box hinlegen. Absolute Ruhe für die Nacht wäre jetzt sehr wichtig! Ich komme morgen früh und schau nochmal nach ihm!"

Mücke, die mit Oma in der Stallgasse stand, sagte zu Oma: „Er darf jetzt nicht schlapp machen, er hat Jo gerettet!"

Oma erwiderte: „Eben! Weil er das geschafft hat, wird er jetzt auch die Nacht überstehen!" und Mücke nahm sich vor, jetzt ganz fest an Omas Worte zu glauben.

Luis brachte Zitrönchen in die Box und Seba knipste das Licht aus.

Im Innenhof verabschiedeten sich die Eltern, Inchi und Esra von Seba, als Omas Handy klingelte. Gespannt drehten sich die anderen um und schauten auf Oma.

Mit zittrigen Händen drückte sie die Hörertaste und hielt das Handy ans Ohr.

„Ja?", fragte sie. „Ja", dann machte sie eine Pause, „Ja, ich verstehe! Ja, mach ich! Melde dich!"

Dann legte sie auf. Oma sah ernst aus. Sie holte Luft und erklärte: „Sie ist noch nicht wieder bei Bewusstsein!", woraufhin sich Sorge in den Gesichertern breit machte.

Oma hob die Hand. „Die Ärzte konnten jedoch eine schwere Verletzung ausschließen. Sie gehen zwar von einer Gehirnerschütterung aus und sie hat jede Menge Kratzer, aber sonst sei sie nicht schwer verletzt."

Ein tiefes Durchatmen war im Innenhof zu hören.

„Samantha, ich möchte dich bitten, mit uns zu kommen. Dein Vater wird dich dann später oder morgen früh bei uns abholen."

Samantha widersprach nicht, sondern folgte Oma und Mücke.

Oma drückte Seba die Hand und versprach, sich sofort zu melden, wenn es Neuigkeiten gäbe.

Als Oma vor Luis stand nahm sie ihn in den Arm und drückte ihn fest.

„Danke Luis! Du hast sie nach Hause gebracht!", aber Luis antwortete: „Das war nicht ich, das war er!" und Oma verstand und nickte ihm zu, drückte ihn noch einmal und verließ dann eilig mit Mücke und Samantha den Hof.

Inchi und Esra folgten mit ihren Eltern und Seba und Luis blieben zurück.

„Ich schaue noch einmal kurz nach ihm!", sagte Luis.

Seba versuchte Luis zu beruhigen: „Sie schaffen es! Beide! Schau noch einmal nach, aber dann gib ihm die nötige Ruhe und bitte, Luis, du musst unbedingt aus den nassen Klamotten raus!"

Luis nickte und schlich sich in den Stall. Ohne das Licht anzuschalten, ertastete er sich den Weg bis zu Zitrönchens Box. Er versuchte leise zu sein, um Zitrönchen nicht zu wecken.

Das Licht der Außenbeleuchtung fiel ein und so konnte Luis erkennen, dass Zitrönchen sich hingelegt hatte, so wie der Dokki es vorausgesagt hatte.

Als Luis die Box betrat, wieherte Zitrönchen leise. Er versuchte den Kopf anzuheben, was ihm jedoch nicht gelang.

Luis hockte sich hin und spürte, dass Zitrönchen zitterte.

Obwohl es nach dem Gewitter nicht sonderlich abgekühlt war und es nach wie vor eine laue Sommernacht war, schlich Luis auf Zehenspitzen in die Sattelkammer und holte ein paar Decken.

Vorsichtig deckte er Zitrönchen zu, setzte sich neben seinen Kopf und streichelte ihn sanft.

„Sie hat keine schweren Verletzungen", er beugte sich über Zitrönchen.

„Hast du gehört? Sie wird wieder okay und wenn sie wiederkommt, musst du auch wieder auf den Beinen sein."

Zitrönchen versuchte zu schnauben, aber es war kaum zu hören.

„Jetzt schlaf dich aus! Ich schaue später noch einmal nach dir!"

Dann schlich Luis aus der Box und lief zu Seba ins Haus. Als Luis das Haus betrat, fragte Seba: „Und?" und Luis erzählte ihm, dass Zitrönchen liegen würde und weil er gezittert habe, habe er ihn mit Decken zugedeckt.

Seba sah ernst aus: „Ich werde später noch einmal nach ihm schauen!", sagte er. „Du gehst jetzt unter die Dusche, ziehst dir die trockenen Sachen an und dann habe ich eine heiße Suppe in der Küche für dich vorbereitet!"

Luis verschwand ohne Widerworte im Bad und saß kurz darauf in der Küche und löffelte die heiße Suppe.

Als Luis aufgegessen hatte, fragte er Seba, ob er noch einmal in den Stall gehen könne, doch Seba erwiderte entschieden: „Nein. Du gehst jetzt schlafen, ich werde noch einmal nach ihm sehen. Wir müssen morgen einen klaren Kopf haben!"

Luis wusste, dass jetzt keine Chance für ihn bestand, das Haus zu verlassen und er verzog sich auf sein Zimmer.

Seba räumte die Küche auf.

Luis lag hellwach in seinem Bett. Es war unmöglich jetzt die Augen zu schließen, geschweige denn zu schlafen. Er hörte den Boden vor seiner Zimmertür knarren und schloss schnell die Augen.

Seba betrat leise das Zimmer und sah Luis schlafen. Er richtete die Bettdecke und knipste das Licht aus.

Luis wartete, bis Seba das Zimmer verlassen hatte. Dann lauschte er an der Tür.

Seba ging tatsächlich noch einmal in den Stall.

Luis presste sein Ohr gegen die Zimmertür, damit er hören konnte, wann Seba zurückkam.

Es dauerte nicht lange, da hörte er das Knarren der Hauseingangstür. Luis sprang mit einem Satz ins Bett und zog die Decke bis zur Nasenspitze hoch. Er hörte wie Seba an seinem Zimmer vorbei lief und er hörte auch das Knipsen des Lichtschalters in Sebas Zimmer.

Luis setzte sich auf die Bettkante. Auf keinen Fall wollte er aus Versehen einschlafen. Er wartete eine Weile, dann zog er sich zwei Paar Socken über und drückte leise die Türklinke herunter. Sie quietschte, aber Seba schien bereits fest zu schlafen.

Auf Zehenspitzen schlich er den Flur entlang und aus der Haustür raus. Er lief zum Stall und öffnete vorsichtig die Stalltür.

Als er die Stallgasse betrat, wieherten ein paar Pferde leise und er zischte ein leises „Psssssst!" und fügte hinzu: „Ich bin`s!"
Bei Zitrönchen angekommen, öffnete er die Boxentür und im Licht der Außenbeleuchtung konnte er erkennen, dass Zitrönchen, immer noch im Stroh lag.

Er setzte sich neben seinem Kopf ins Stroh und Zitrönchen wieherte leise. Das empfand Luis als ein gutes Zeichen.

Er streichelte seinen Kopf und zupfte die Decke zurecht. Er streichelte über Zitrönchens Hals und schlief bald darüber ein.

Am nächsten Morgen kitzelte Luis etwas am Ohr. Er blinzelte ins Sonnenlicht, das direkt in die Box schien.
Etwas Weiches durchwühlte sein Gesicht und er schreckte hoch.
Zitrönchen stand vor ihm und sah ihn aufmunternd an.

Er stand wieder, die Decken lagen im Stroh und Zitrönchen schnaubte Luis kräftig ins Gesicht.

„Baaaaah", knurrte Luis, sah hoch und lachte, „Duschen brauche ich jetzt nicht mehr!"
Zitrönchen stupste Luis an, woraufhin er aufstand.

Er begutachtete die Wunde an der Brust, die nicht einmal mehr geschwollen war. Dann fiel sein Blick auf das Fell.
„Auwei, du siehst ja aus. Ich glaube, heute ist erst einmal das komplette Schönheitsprogramm dran!"
Luis sammelte die Decken ein und begann zu füttern.

Als er fertig war, stand schon der Tierarzt auf der Stallgasse. Auch er war sehr zufrieden mit Zitrönchen und verschwand so schnell wieder, wie er gekommen war.

Luis lief ins Haus, wo Seba bereits den Frühstückstisch deckte. Luis versuchte sich an Seba vorbeizuschleichen, aber Seba hatte ihn schon bemerkt: „In fünf Minuten gibt es Frühstück!", rief er und Luis erkannte an der Stimme, dass Seba nicht böse auf ihn war.

Er sprang schnell in seine Reithose, griff ein Hemd und setzte sich an den Küchentisch.

Seba zwinkerte und Luis schaute verlegen auf den Teller.

„In deinem Alter habe ich auch solche Nächte im Stall verbracht!", lachte Seba.

Luis wurde ernst und fragte: „Du hast noch nichts von Jo gehört, oder?

Seba schüttelte den Kopf, dann tat er das Rührei auf und sie aßen wortlos.

Wenn dir das Leben eine Zitrone schenkt

Der Arzt zog die Augenbrauen hoch und schaute ernst. „Die Ergebnisse liegen vor. Ihre Tochter hat großes Glück gehabt, sie hat ein paar ordentliche Prellungen, aber es ist alles heil. Sie hat ganz bestimmt eine Gehirnerschütterung und sollte sich die nächsten drei Wochen schonen!", warnte er.

„Aber warum ist sie denn noch nicht aufgewacht?", fragte Mama besorgt.

„Natürlich hat sie auch ein heftiges Trauma erlitten und der Körper muss sich erst einmal von so einem Schrecken erholen. Ich bin sicher, wenn sie sich erholt hat, wird sie aufwachen", tröstete der Arzt.

Mama saß an Jos Krankenbett und hielt ihre Hand.

Herr Wüstenhagen war die ganze Nacht bei Mama geblieben, um ihr seelischen Beistand zu leisten. Er hatte schon Samantha angerufen und Oma, Mücke und Samantha waren auf dem Weg ins Krankenhaus.

Oma hielt mit dem Auto vor dem Eingangstor der Reitanlage und hupte.

Seba und Luis kamen aus dem Haus gelaufen und rannten zu Oma ans Auto.

„Luuuuiiisss!", rief Oma aus dem Autofenster heraus. Luis erreichte das Auto zuerst.

„Was ist mit Zitrönchen?", fragte Oma und Luis stammelte erschrocken: „Der steht wieder auf allen vier Beinen und frisst!"

Oma lächelte und antwortete: „Das dachte ich mir! Steig ein, es wäre sehr nett, wenn du Jo das erzählst!"

Dann wandte sie sich an Seba „Herr Alvarez-Sanchez, kann ich Lasse bei Ihnen lassen? Ich komme später wieder. Ich muss dringend etwas mit Ihnen besprechen!"

Seba nickte und öffnete Luis die Tür auf der anderen Seite, damit er schneller ins Auto springen konnte. Lasse sprang mit einem Satz aus dem Auto und flitzte Sekunden später mit Pastor über den Hof.

Als Luis auf dem Beifahrersitz saß, fragte er Oma: „Ist sie denn schon aufgewacht?" und Oma antwortete: „Nein! Was meinst du, warum ich dich jetzt mitnehme! Du erzählst ihr, dass es Zitrönchen besser geht und dann wird sie ganz bestimmt aufwachen." Luis schaute skeptisch. Wenn das so einfach wäre, dachte er. Dann fühlte er eine kleine Hand auf seiner Schulter, es war die Hand von Mücke, die zusammen mit Samantha auf der Rücksitzbank saß.

„Ganz bestimmt wird sie dann aufwachen", flüsterte Mücke und klopfte ein paar Mal auf seine Schulter.

Oma fuhr bei fast jeder Ampel über Dunkelgelb und Mücke schimpfte: „Oma, du hast Kinder im Auto!"

„Entschuldige bitte Mücke, du hast ja Recht!"

Sie bremste etwas ab und sah Samanthas Augen im Rückspiegel.

Samantha sah Mücke an und dann drehte sich auch Luis kurz zu Samantha am. Dann fasste Samantha Oma von hinten auf die Schulter.

„Fahren Sie vorsichtig! Aber geben Sie endlich Gas!" und Oma gab Gas. Sie hielten mit quietschenden Reifen vor dem Krankenhaus.

Der Pförtner trat aus seinem Häuschen und rief Oma zu: „Hier kann das Auto aber nicht stehen bleiben!"

Oma warf dem verdutzten Herrn den Autoschlüssel zu. „Ich danke Ihnen sehr!", rief sie und dann rannten sie so schnell sie konnten die Rampe hoch, durch den Eingang und die Gänge entlang.

Samantha rannte vor und wies den anderen den Weg.

Atemlos kamen sie vor der Zimmertür an.

Oma japste: „Kinder, ich werde wirklich zu alt für sowas!"

Leise öffnete sie die Tür.

Mama stand auf, als sie Oma in der Tür sah.

Mücke schlängelte sich an Oma vorbei und fiel Mama um den Hals.

„Ist sie noch nicht wach?", fragte Mücke traurig.

Mama schüttelte den Kopf.

Samantha stand jetzt auf der anderen Seite des Bettes bei ihrem Vater und sah das zerkratze Gesicht von Jo.

„Wooow, hat sie mit einem Löwen gekämpft?", entfuhr es ihr und Herr Wüstenhagen mahnte sie zur Ruhe.

Luis betrat schüchtern das Zimmer.

Oma ergriff seinen Arm und setzte ihn auf Mamas Stuhl, der direkt am Bett stand. Dann winkte sie Herrn Wüstenhagen zu und flüsterte: „Wir holen uns mal einen Kaffee" und dann verließen sie das Zimmer.

Luis saß nun ganz allein an Jos Bett. Jo schien immer noch zu schlafen. Er wusste gar nicht was er sagen sollte. Vorsichtig tippte er mit einem Finger auf Jos Hand.

„Jo?", fragte er leise, doch Jo rührte sich nicht.

Er tippte etwas kräftiger und sagte: „Äääh, also Zitrönchen war aber heute morgen schneller als du auf den Beinen."

Jo reagierte nicht.

Luis wusste nicht, wie er sich jetzt verhalten sollte. Jo lag da mit dem Gesicht voller Kratzer und er sollte ihr erzählen, dass es Zitrönchen gut geht, aber sie hörte anscheinend nicht zu.

„Johooo!", sagte er etwas lauter und rüttelte sie am Arm. „Du musst jetzt aufwachen. Zitrönchen sieht aus wie ein Schwein und benötigt das komplette Beautyprogramm. Ich bin ein Junge, ich kann sowas nicht!"

Er starrte auf Jo, doch die zeigte immer noch keine Regung.

Er drehte sich um und ging zur Zimmertür und als er die Türklinke herunterdrückte, hörte er ein leises „Ich will mit" hinter sich. Er drehte sich um und Jo blinzelte ihm entgegen. Er sprang mit einem Satz zurück ans Bett. „Sage mal, wie kannst du uns solche Angst einjagen? Zitrönchen hat alles gut überstanden. Er ist ein bisschen angeschlagen, aber seine Wunde wurde gestern Abend noch genäht und ich habe die ganze Nacht bei ihm geschlafen!", sprudelte es aus Luis hervor.

Jo flüsterte: „Danke, Luis!"

Luis wurde rot und antwortete: „Er hat dich gerettet und eigentlich hat er mich auch gerettet, nachdem Goethe abgehauen war."

Jo räusperte sich und langsam festigte sich ihre Stimme. „Als ich runtergefallen war, ist er bei mir geblieben!"

Luis nickte und erwiderte: „Er ist ein großartiges Pferd, er braucht so jemanden wie dich! Also, sieh zu, dass du wieder auf die Beine kommst! Ja?"

Jo nickte. Dann stand Luis auf und öffnete die Zimmertür. Oma, Mama, Mücke, Samantha und auch Herr Wüstenhagen klebten die ganze Zeit mit ihren Ohren an der Tür und als Luis die Tür aufriss, jubelten sie ihm entgegen.

Luis schüttelte den Kopf. „Verrückt!", lachte er. „Aber bitte, Befehl wurde ausgeführt! Jo ist wach und bereit zum Abflug!" scherzte er und Mücke flog ihm um den Hals. Dann sprang sie auf Jos Bett und Mama, Herr Wüstenhagen und Samantha löcherten sie mit Fragen, die sie gar nicht alle beantworten konnte.

Oma küsste Jo auf die Stirn und dann schnappte sie sich Luis und verabschiedete sich. Sie habe noch etwas Dringendes zu erledigen. Gleichzeitig bat sie Herrn Wüstenhagen, Mama und Mücke mitzunehmen.

Oma und Luis fuhren zurück in Richtung Stall und Oma nahm jede Ampel bei Grün.

Als sie auf dem Hof ankamen, waren Inchi und Esra schon eingetroffen und rannten auf Oma und Luis zu. Auch Seba eilte aus dem Stall.

„Sie ist wach, es geht ihr gut! Sie ist noch etwas angeschlagen, aber sie darf bestimmt bald nach Hause!", berichtete Oma und sie sah, wie Seba ein Stein vom Herzen fiel.

„Herr Alvarez-Sanchez, können wir uns bitte einmal unterhalten?", fragte Oma. „Unter vier Augen bitte!"

Sebas Gesicht wurde sehr ernst.

„Aber natürlich Frau Dumont, kommen Sie bitte, wir gehen rein."

Dann verschwand Seba mit Oma im Haus.

Esra fragte Luis, ob er wüsste, was Oma wohl von Seba wollte, doch Luis wusste darauf auch keine Antwort.

Seba führte Oma ins Wohnzimmer und bat sie Platz zu nehmen. Er holte Oma ein Glas Wasser. Bevor Oma etwas sagen konnte, erklärte Seba: „Bitte Frau Dumont, es tut mir sehr leid, was passiert ist, aber das Pferd trifft keine Schuld. Ich hätte ihr vielleicht nicht Zitrönchen geben sollen, aber das wäre auch nicht zu verhindern gewesen, wenn sie auf einem anderen Pferd gesessen hätte."

Oma schaute Seba ernst an. Sie holte tief Luft und fragte: „Ist das Ihr Ernst?"

Seba sah besorgt in Omas Gesicht.

„Dem Himmel sei Dank, dass Jo auf Zitrönchen saß, denn dieses Pferd hat ihr wahrscheinlich das Leben gerettet oder sagen wir, zumindest hat Zitrönchen Schlimmeres verhindert."

Seba wollte antworten, doch Oma war schneller. „Und er hat auch Luis nach Hause gebracht!"

Seba fühlte einen Kloß im Hals aufsteigen und senkte den Blick.

„Herr Alvarez-Sanchez, genau deshalb sitze ich jetzt hier!" und dann besprach Oma mit Seba den Grund ihres Besuches. Oma redete und Seba lief im Zimmer auf und ab. Schließlich kramte er ein Blatt Papier aus der Schreibtischschublade, auf der Oma unterschrieb. Dann holte Seba zwei Gläser Sekt aus der Küche und stieß mit Oma an.

Oma telefonierte mit Mama und fragte, wann Jo das Krankenhaus verlassen dürfe.

Mama antwortete, dass Jo, wenn alles gut bleiben würde, morgen entlassen werden könne.

Oma sprach ins Telefon: „Gut! Das ist sehr gut!", dann legte sie auf.

Seba rief Luis herein. Oma und Seba sprachen mit Luis und Luis begann über das ganze Gesicht zu strahlen und nickte eifrig mit dem Kopf. Dann standen sie auf und Oma drückte Seba und Luis die Hand und gemeinsam verließen sie das Haus.

Luis ging auf Mücke zu und fragte sie: „Magst du mir helfen? Wir müssen bis morgen aus Zitrönchen wieder ein echtes Zitrönchen machen!"

Mücke sprang sofort auf und auch Inchi und Esra schlossen sich an. Zusammen putzten sie Zitrönchen so lange, bis er wieder goldig glänzte.

Luis drückte Mücke den Führstrick in die Hand und ordnete an: „Mindestens eine halbe Stunde in der Sonne spazieren gehen! Er darf leider noch nicht auf die Wiese, aber spazieren gehen darf er!"

Mücke übernahm das gern. Sie spazierte Runde um Runde über den Springplatz. Sie plapperte ununterbrochen, jedoch schien es so, als ob Zitrönchen ihr aufmerksam zuhörte.

Als sein Fell trocken in der Sonne glänzte, trat Luis ein paar Schritte zurück und sagte: „So sieht er also aus! Die Farbe steht ihm eindeutig besser als dieses Rot!"

Sie lachten und brachten Zitrönchen in seine Box.

Oma und Mücke fuhren anschließend nach Hause, um für Jos Ankunft alles vorzubereiten.

Am nächsten Morgen hielt Herr Wüstenhagen vor dem Eingangstor des Reitstalls.

Samantha sprang aus dem Auto und öffnete die Beifahrertür und half Jo aus dem Auto.

Mama hatte Oma und Mücke schon angerufen, dass der erste Weg nach der Entlassung nun doch erst kurz in den Stall ging.

Oma, Mücke, Seba und Luis erwarteten Jo schon.

Seba bot Jo seinen Arm als Stütze an und Jo ergriff ihn mit einem Lächeln.

Seba führte sie zu Zitrönchen, der laut wieherte als er Jo sah. Luis, Mama, Oma, Mücke, Herr Wüstenhagen und Samantha stellten sich hinter Seba.

Bevor Jo die Box öffnen konnte, setzte Seba ein sehr ernstes Gesicht auf. Jo sah auch, dass die anderen, die hinter Seba standen, plötzlich auch sehr ernst schauten.

„Jo, ich muss dir etwas sagen!", sagte Seba in einem wirklich sehr sehr ernsten Ton, woraufhin sich Jo zu Zitrönchen umsah.

„Was ist mit ihm?", fragte Jo mit zittriger Stimme.

„Luis hat gesagt es geht ihm gut!"

Sie schaute zu Luis, doch Luis schaute auf den Boden. Auch sein Blick war ernst.

Jetzt meldete sich Jos Schmetterling zurück, also hatte auch er den Ausritt überlebt. Er stampfte sich in den Boden ihres Magens, zog an ihrem Herz und begann ein hysterisches Flattern.

Seba fasste Jo rechts und links am Arm. „Jo", sagte er, „Zitrönchen geht es gut! Aber ich muss dir leider leider sagen, dass er gestern Abend den Besitzer gewechselt hat!"

Der Schmetterling schickte Stoßwellen in Jos Knie und sie schwankte.

Sie sah entsetzt in die ernsten Gesichter der anderen.

Seba hielt sie fest und fuhr fort: „Bitte, du kannst dich vielleicht an die neuen Besitzer wenden, wenn du sie kennst. Der Name steht auf dem Schild!"

Jo war jegliche Farbe aus dem Gesicht gewichen, wie in Trance drehte sie sich um und starrte auf das Schild an der Boxentür. Sie schaute zu Oma und schaute wieder aufs Schild, sie schaute zu Seba und erneut auf das Schild.

Der Schmetterling stieg auf und schlug sechsfache Loopings.

Jos Stimme zitterte, als sie vorlas:

„Besitzer: Johanna und Marie Dumont"

Mücke quiekte und Seba öffnete weit die Boxentür und lachte: „Meine Damen", sagte er, „darf ich vorstellen? Zitrönchen, euer erstes eigenes Pferd!"

So geht es weiter ...

Seit gut einem halben Jahr gehört Zitrönchen zur Familie. Jo und Mücke lernen jeden Tag, was es heißt, ein eigenes Pferd zu besitzen. Trotzdem sind sie überglücklich darüber und freuen sich auf den bevorstehenden Karnevalsumzug.

Während Samantha für Goethe schon das scheinbar perfekte Kostüm plant, rätselt Jo noch, wie sie Zitrönchen verkleiden wird.

Am Morgen des Umzugs sind auch Kimba und Trude nicht mehr wiederzuerkennen.

Doch der Rosenmontag verläuft anders als geplant und das führt zu großer Aufregung im Stall.

Keiner kann sich auf das Training für das geplante Reitabzeichen konzentrieren. Seba ist verzweifelt, da jede Reitstunde im Chaos endet.

Auch Jo, Mücke, Inchi und Esra erkennen, dass das so nicht weitergehen kann und beschließen, zusammen mit Luis, das Problem auf eigene Faust zu lösen.

Werden sie es rechtzeitig schaffen oder ist das Reitabzeichen in Gefahr? Wird Samantha sie unterstützen? Und warum muss Jo Zitrönchen noch einmal verkleiden?

Lies die ganze Geschichte!